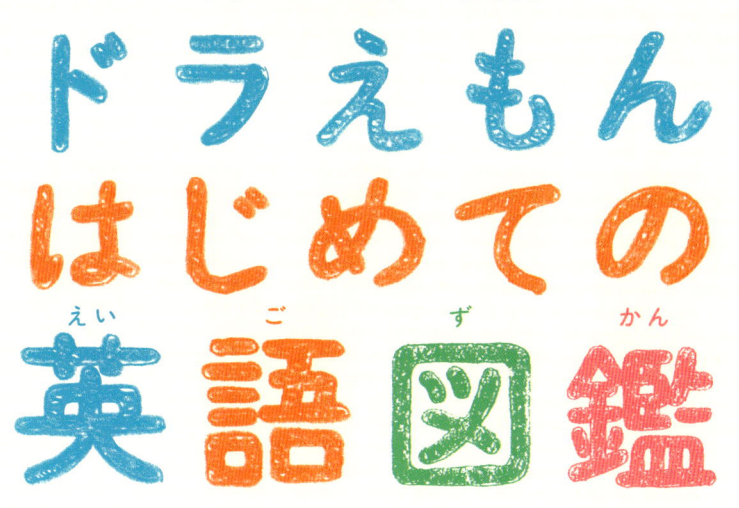

小学生のための楽しい絵辞典

# ドラえもん はじめての英語図鑑

宮下いづみ：監修　藤子・F・不二雄：原作　むぎわら しんたろう：画

小学館

# はじめに

今の子どもたちが大人になる頃には、グローバル化がさらに進みます。そして英語で他の国の人々とコミュニケーションをはかり、自己表現する力がますます重要になります。

この本は、そんな時代のお子さんと保護者に向けて、英語との出会いが楽しいものになるよう、「ページをながめているうちに、知らず知らずのうちにたくさんの英語に触れられ、自然に英語が身につく」ことを目指して作りました。小学校の英語学習で習う単語・会話表現から、英語圏の子どもたちが日常的に使う言葉まで、お子さんにとって身近で、特に興味の高いものを各ジャンルから集め、たくさんのイラストと写真で紹介しています。大人の方にも十分興味を持っていただける内容になっていますので、好きなページからお子さんといっしょにながめてみてください。

また、音声を聞きながら絵や写真を見ることで、文字と音と意味をまとめて覚えることができます。くり返し聞いて、音に慣れて、自分でも口を動かしてまねして言ってみてください。楽しく学ぶのが、英語を身につけるコツです。

この本を通して、21世紀をになうお子さんが、英語への興味と関心を高め、やがて世界に羽ばたいていくきっかけになれば幸いです。

監修　宮下いづみ

Eunice English Tutorial主宰。小学生から大学生までを対象に、自分の意見を英語で述べることを目指した英語教育を実施。明治大学・実践女子大学・武蔵野大学の非常勤講師。『イギリスの小学校教科書で楽しく英語を学ぶ』（小学館、共著）・『ドラえもんはじめての英語辞典』（小学館、共著）など著書多数。日本経済新聞に『おもてなし会話術』連載。

# この本の特長

## 1

### 小学生にピッタリの2400の単語と会話表現を収録

子どもに身近なものから、小学校の英語教材・英検®5級によく登場するものまで、約2400の単語や会話表現を収録しています。小学校入学前から高学年まで長くお使いいただけます。絵辞典として楽しい絵と写真をながめているうちに小学生に必要な英語力が自然と身につきます。

## 2

### 好奇心を刺激するテーマをドラえもんたちがナビゲート

食べ物、生き物、乗り物、学校、自然など、小学生にとって特に興味関心の高いテーマを切り口に場面やテーマを設定しました。各場面ごとに「ドラえもん」のキャラクターがナビゲートしてくれますので、「英語の勉強」と構えることなく、楽しみながら読み進めることができます。

## 3

### 場面に合った会話表現が自然と身につきます

この本では、ネイティブスピーカーの子どもたちが日常でよく使う基本表現のほか、自分のことを英語で伝えるために必要な表現なども多数収録しています。場面ごとにキャラクターがくり広げる会話表現は、すぐに使ってみたくなるものが満載。付属のCDで英語の音声をくり返し聞いて、まねしてみましょう。

# この本の使い方

## CDのトラック番号

付属のCDのトラック番号です。CDはCD1とCD2の2枚（計151分）に分かれています。見開きごとの番号を確認しながらCDを再生してください。

## カテゴリ

小学生の英語学習に必要な英単語と会話表現を「人びと」「家の中」「食べ物」「学校」「町」「生き物」「暮らし」「スポーツと遊び」「自然」「世界」「時と季節」「いろいろな表現」の、12カテゴリに分けて紹介しています。

## タイトル

107の具体的な場面やテーマを取り上げました。見開きごとに「ドラえもん」のキャラクターが登場します。どのページからもお楽しみいただけますので、まずは興味のあるページからめくってみてください。

## CDの音声読み上げ順

①から順番に、英語と日本語の音声が読み上げられます。番号を目で追いながら、音声を聞きましょう。

## 英語・日本語・カタカナ発音

場面に合わせて英単語（主にアメリカ英語）を紹介しています。絵や写真を見ながら意味を確認しましょう。

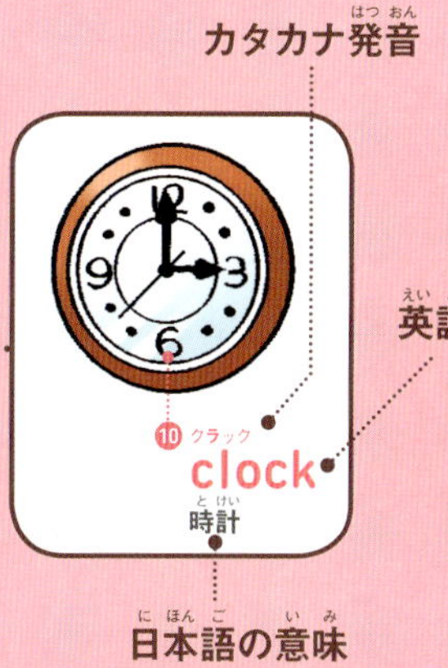


カタカナ発音は、英語の読み方を示しています。実際の発音に近くなるように書かれていますが、正しい発音はCDの音声を聞いて確認してください。カタカナ発音は主に「プログレッシブ 中学英和・和英辞典」（小学館）を参考にしています。

## 会話表現

各場面では、「ドラえもん」のキャラクターたちの楽しい会話が展開されます。これらは、ネイティブスピーカーの子どもたちが日常でよく使う表現です。キャラクターたちのセリフをまねしているうちに、ナチュラルな表現が身につきます。キャラクターになりきって、くり返し声に出して言ってみましょう。

# この本のいろいろな活用法

英語に興味を持ちはじめたばかりの頃から小学校高学年までの長い期間、お子さんの状況に合わせてさまざまな使い方をお試しいただけます。

## 使い方 その1

### 絵図鑑として楽しめます

どのページも楽しいイラストやきれいな写真がいっぱいです。まずは、お子さんの興味のあるページを開いて、自由にながめてみてください。何度も見ているうちに、自然に英単語とその意味がわかるようになります。図鑑を楽しむ感覚で、たくさんの英語に慣れ親しむことができます。

## 使い方 その2

### 辞書として使えます

この本の巻末には、「さくいん」がついています。日常の生活で、「これは英語でなんていうのかな？」と、知りたい言葉があるときは、「日本語さくいん」から調べてみましょう。また、テレビや街中で見かけた英語の意味を調べたいときには、「英語さくいん」から探して、その単語が載っているページを開いてみてください。

## 使い方 その3

### 音声CDはBGMとして使えます

付属の音声CDで、ネイティブスピーカーの英語の発音をくり返し聞いてみましょう。はじめのうちは、なんと言っているのか聞き取れないかもしれませんが、くり返し聞くことで、英語特有の音とリズムに、自然と耳が慣れていきます。部屋や車の中で、BGMとしてCDをかけるのもオススメです。

## 使い方 その4

### 親子で英語クイズが楽しめます

この本で取り上げている英単語は、英語圏の子どもたちが慣れ親しんでいるものでも、日本の学校では習わないものが数多く含まれていますので、おうちの方にとっても新鮮な発見があることでしょう。ぜひ、お子さんと一緒に「appleは、どーこだ？」などと、クイズを出し合ったりしながら、英語学習を楽しんでください。

## 使い方 その5

### 会話のフレーズ集として役に立ちます

小学校の英語学習では、あいさつをはじめとして自分の好きなもの、将来なりたいもの、今の気持ちなど、自分のことを英語で伝える力が重視されます。そこで大事になってくるのが場面に合った会話表現です。
この本では、日常でよく使われる350の会話表現を紹介しています。
ぜひ、「ドラえもん」のキャラクターたちと会話を楽しむ感覚で口に出して言ってみましょう。

# Let's enjoy English with us!!

# Contents

## 目次

## 学校



## 町



## 生き物

# Contents
目次

## 暮らし



## スポーツと遊び

## 自然



## 世界



## 時と季節



## いろいろな表現

# Alphabet アルファベット

CD 1 -1

❶ Let's learn the alphabet!
アルファベットを学ぼう！

大文字 小文字

Aa Bb Cc Dd

❸ エィ ❹ ビー ❺ スィー ❻ ディー

Ii Jj Kk Ll

⓫ アィ ⓬ ヂェィ ⓭ ケィ ⓮ エル

Qq Rr Ss Tt

⓳ キュー ⓴ アー ㉑ エス ㉒ ティー

Yy Zz

㉗ ワィ ㉘ ズィー

② レッツ トゥライ
## Let's try!
やってみよう！

Ee Ff Gg Hh

⑦ イー ⑧ エフ ⑨ ヂー ⑩ エイチ

Mm Nn Oo Pp

⑮ エム ⑯ エン ⑰ オゥ ⑱ ピー

Uu Vv Ww Xx

㉓ ユー ㉔ ヴィー ㉕ ダブリュー ㉖ エックス

# Hello, Doraemon.

こんにちは、ドラえもん

CD 1-2

1 Hello.
こんにちは。

2 I'm Doraemon.
ぼく、ドラえもん。

3 Hi!
こんにちは！

4 I'm Dorami.
わたしは、ドラミよ。

5 What's your name?
名前は何て言うの？

6 My name is Nobita Nobi.
ぼくの名前は、野比のび太です。

7 I'm Nobita.
ぼく、のび太だよ。
8 I'm Shizuka.
わたしは、しずかよ。
9 I'm Gian.
おれは、ジャイアン。
10 I'm Suneo.
ぼくは、スネ夫だよ。

11 Nice to meet you.
はじめまして。
12 Nice to meet you, too.
はじめまして。

# Your Self-Introduction

## 自己しょうかい

CD 1-3

❶ マィ　ネイム　イズ　ノビタ　ノビ
My name is Nobita Nobi.
ぼくの名前は、野比のび太です。

❷ アイム　ヂャパニーズ
I'm Japanese.
日本人です。

❸ アイム　テン　イァズ　オウルド
I'm 10 years old.
10才です。

❹ アイム　イン　ザ　フィフス　グレイド
I'm in the fifth grade.
5年生です。

❺ アィ　ライク　リーディンｸﾞ
I like reading
カミック　ブックス
comic books.
まんが本を読むのが好きです。

❻ マィ　フェイヴァリット　フード　イズ　ラーメン
My favorite food is ramen.
好きな食べ物はラーメンです。

❼ マィ　ドゥリーム　イズ
My dream is
トゥ　ビィ　ア　カートゥーニスト
to be a cartoonist.
将来の夢は、まんが家になることです。

8 アイム ドラエモン
I'm Doraemon.
ぼくは、ドラえもんです。

9 アィ リヴ イン トーキョー
I live in Tokyo.
東京に住んでいます。

10 アィ ハヴ ア スィスタァ
I have a sister.
妹 がいます。

11 アィ ラヴ ドラヤキ
I love dorayaki.
どらやきが大好きです。

12 アィ ドウント ライク マイス
I don't like mice.
ねずみがきらいです。

13 アィ ライク カートゥーン ティーヴィー プロウグラムズ
I like cartoon TV programs.
アニメのテレビ番組が好きです。

14 マイ トゥレジャァ イズ フレンヅ
My treasure is friends.
ぼくの宝物は友だちです。

# My（マイ） Day（デイ） ❶ 一日（いちにち）

CD 1-4

❶ get（ゲット） up（アップ）
起（お）きる

❷ get（ゲット） dressed（ドゥレスト）
服（ふく）を着（き）る

❼ arrive（アライヴ） at（アット） school（スクール）
学校（がっこう）に着（つ）く

❽ Good（グッド） morning（モーニング）.
おはようございます。

❾ study（スタディ） at（アット） school（スクール）
学校（がっこう）で勉強（べんきょう）する

❿ eat（イート） school（スクール） lunch（ランチ）
給食（きゅうしょく）を食（た）べる

⓫ go（ゴウ） to（トゥ） the（ザ） restroom（レストゥルーム）
トイレに行（い）く

③ ブラッシュ マイ ティース
**brush my teeth**
歯をみがく

④ ワッシュ マイ フェイス
**wash my face**
顔を洗う

⑤ イート ブレックファスト
**eat breakfast**
朝ごはんを食べる

⑥ ウォーク トゥ スクール
**walk to school**
学校に歩いて行く

⑬ グッド バイ
**Good-bye.**
さようなら。

⑫ リーヴ スクール
**leave school**
学校から帰る

# My Day ② 一日

CD 1 -5

① ハヴ ア スナック
## have a snack
おやつを食べる

② プレィ ダッヂボール
## play dodgeball
ドッジボールをする

⑩ イート ディナァ
## eat dinner
夕食を食べる

⑨ ドゥ マィ チョァズ
## do my chores
家事をする

⑪ ワッチ ティーヴィー
## watch TV
テレビを見る

⑫ プレィ ゲイムズ
## play games
ゲームをする

3 セイ グッドバイ
## say good-bye
さようならを言う

4 カム ホウム
## come home
うちに帰る

5 アイム ホウム
I'm home.
ただいま。

6 ウォーク マイ ドーグ
## walk my dog
犬の散歩をする

7 グッド イーヴニング
Good evening.
こんばんは。

8 ドゥ マイ ホウムワーク
## do my homework
宿題をする

13 テイク ア バス
## take a bath
お風呂に入る

14 ゴウ トゥ ベッド
## go to bed
寝る

15 グッド ナイト
Good night.
おやすみなさい。

# My Family 家族

CD 1 -6

❶ **Dorami is my little sister.**
ドラミはぼくの妹です。

❷ **grandparents** (グランドゥペアランツ)
祖父母

❸ **grandfather** (グランドゥファーザァ)
**(grandpa)** (グランドゥパー)
おじいさん

❹ **grandmother** (グランドゥマザァ)
**(grandma)** (グランドゥマー)
おばあさん

❺ **parents** (ペァランツ)
両親

❻ **father** (ファーザァ)
**(dad / daddy)** (ダッド / ダディ)
お父さん

❼ **mother** (マザァ)
**(mom / mommy)** (マム / マミィ)
お母さん

❽ **uncle** (アンクル)
おじさん

❾ **aunt** (アント)
おばさん

❿ **cousin** (カズン)
いとこ

⓫ **brother** (ブラザァ)
兄／弟

⓬ **sister** (スィスタァ)
姉／妹

⓭ **big brother** (ビッグ ブラザァ)
お兄さん

⓮ **big sister** (ビッグ スィスタァ)
お姉さん

⓯ **I / me** (アィ / ミー)
わたし・ぼく

⓰ **little brother** (リトゥル ブラザァ)
弟

⓱ **little sister** (リトゥル スィスタァ)
妹

※英語で"brother"は、兄・弟の両方を、"sister"は、姉・妹の両方を意味します。区別したいときは、"big"（大きな）、"little"（小さな）を付けます。

18 ハズバンド アンド ワイフ
**husband and wife**
夫婦

19 ハズバンド
**husband**
夫

21 ウィー ハヴ ファイヴ チルドゥラン
We have five children.
わたしたちには子どもが5人います。

20 ワイフ
**wife**
妻

23 サン
**son**
息子

22 ドータァ
**daughter**
娘

24 シー イズ アウァ グランドゥドータァ
She is our granddaughter.
彼女はわたしたちの孫です。

25 グランドゥチャイルド
**grandchild**
孫

他にこんな言葉もあるよ

| | |
|---|---|
| 26 グレイト グランドゥファーザァ **great grandfather** | ひいおじいさん |
| 27 グレイト グランドゥマザァ **great grandmother** | ひいおばあさん |
| 28 グレイト グランドゥチャイルド **great grandchild** | ひ孫 |

※ 女の子の孫は"granddaughter"(グランドゥドータァ)、男の子の孫は"grandson"(グランドゥサン)と言います。

# Various People

ヴェァリアス ピープル

いろいろな人(ひと)びと

CD 1 -7

10年前(ねんまえ)ののび太(た)

今(いま)ののび太(た)

1 ベイビィ **baby** 赤(あか)ちゃん

2 チャイルド キッド **child / kid** 子(こ)ども

4 ガール **girl** 女(おんな)の子(こ)

5 ボーイ **boy** 男(おとこ)の子(こ)

6 チルドゥラン **children** 子(こ)どもたち

7 パースン **person** 人(ひと)(1人(ひとり))

8 ピープル **people** 人(ひと)びと(2人(ふたり)以上(いじょう))

9 ウマン **woman** 女(おんな)の人(ひと)(1人(ひとり))

10 ウィミン **women** 女(おんな)の人(ひと)(2人(ふたり)以上(いじょう))

11 マン **man** 男(おとこ)の人(ひと)(1人(ひとり))

12 メン **men** 男(おとこ)の人(ひと)(2人(ふたり)以上(いじょう))

## 25年後ののび太

❸ アダルト
**adult**
大人

⑬ フーズ ザット ボーイ
Who's that boy?
あの男の子はだれ？

⑭ ヒー イズ マイ フレンド ケン
He is my friend Ken.
わたしの友だちのケンよ。

⑮ フレンド
**friend**
友だち

⑯ ミズ ジョーンズ
**Ms. Jones**
ジョーンズさん(女の人)

⑰ ミスタァ ジョーンズ
**Mr. Jones**
ジョーンズさん(男の人)

⑱ レイディ
**lady**
婦人

⑲ チェントゥルマン
**gentleman**
紳士

⑳ ヘロウ ミズ グリーン
Hello,
Ms. Green.
グリーンさん、こんにちは。

㉑ ハイ ノビタ
Hi, Nobita.
のび太くん、こんにちは。

※結婚している女の人には、"Mrs."を付けて呼ぶこともあります。

# Body 体

CD 1-8

## 1 Body 体 (バディ / からだ)

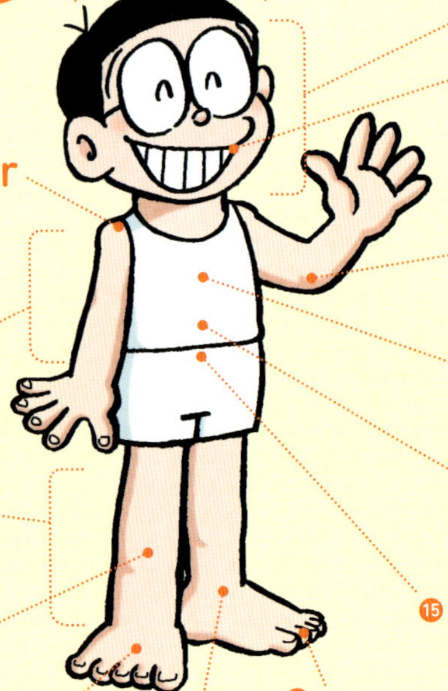

2 shoulder (ショウルダァ) 肩

3 arm (アーム) うで

4 leg (レッグ) 脚

5 knee (ニー) ひざ

6 foot (フット) 足(片足)

※ 足首より先の部分

※ 両足は 7 feet (フィート)

8 head (ヘッド) 頭

9 face (フェイス) 顔

10 tooth (トゥース) 歯(1本)

11 teeth (ティース) 歯(2本以上)

12 elbow (エルボウ) ひじ

13 chest (チェスト) 胸

14 stomach (スタマック) おなか

15 belly button (ベリィ バトゥン) へそ

16 toe (トウ) つま先

17 ankle (アンクル) 足首

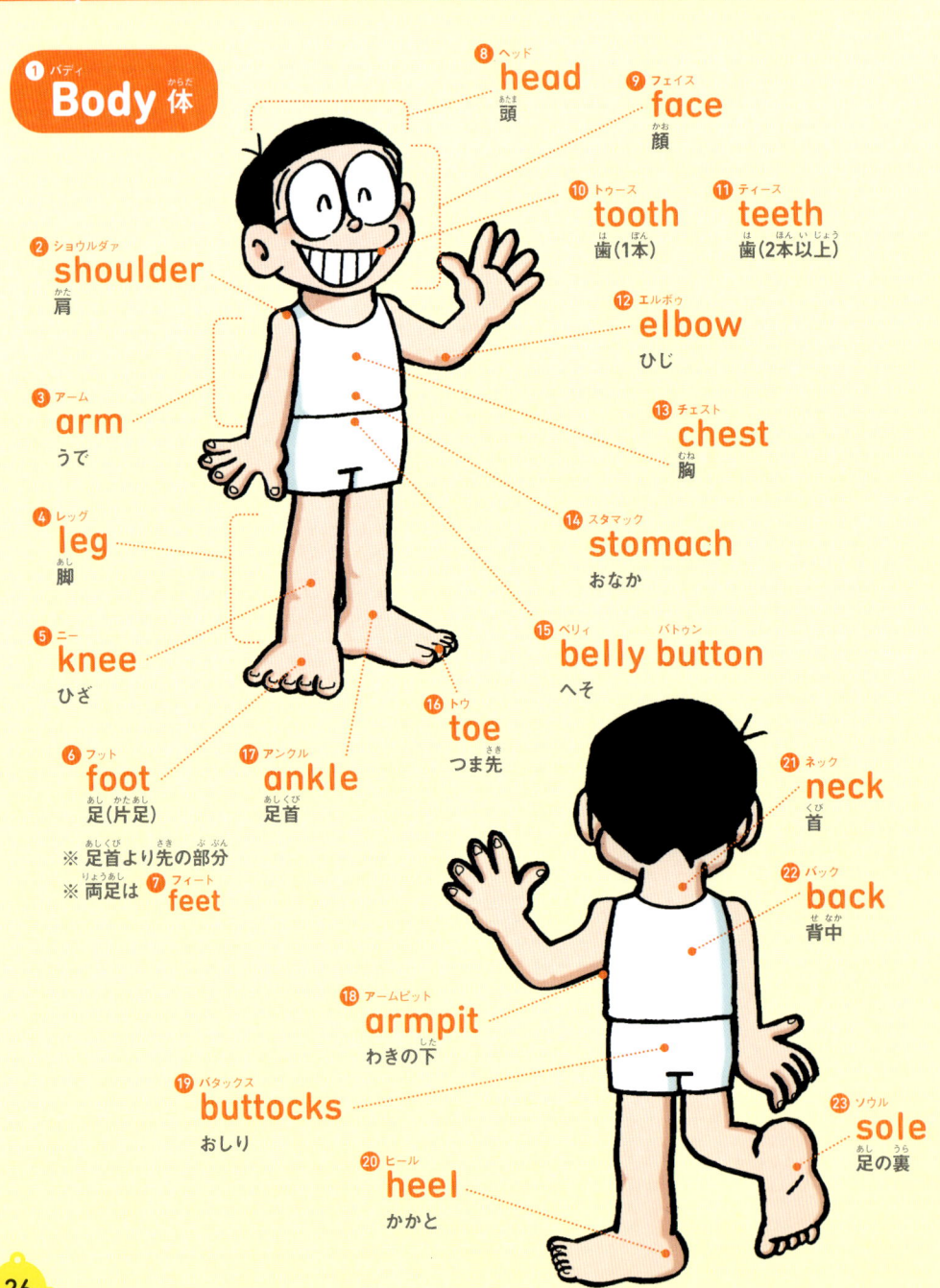

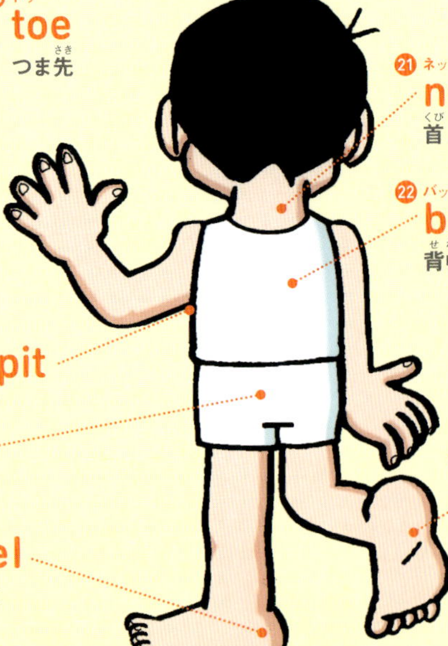

18 armpit (アームピット) わきの下

19 buttocks (バタックス) おしり

20 heel (ヒール) かかと

21 neck (ネック) 首

22 back (バック) 背中

23 sole (ソウル) 足の裏

## 24 フェイス Face 顔（かお）

29 ヘァ **hair** かみの毛（け）

30 アイラッシュ **eyelash** まつ毛（げ）

31 フォーヘッド **forehead** ひたい

25 アイブラウ **eyebrow** まゆ毛（げ）

32 アイ **eye** 目（め）

33 ノウズ **nose** 鼻（はな）

26 イア **ear** 耳（みみ）

34 マウス **mouth** 口（くち）

27 チーク **cheek** ほお

35 タング **tongue** 舌（した）

28 チン **chin** あご

36 リップス **lips** くちびる

## 37 ハンド Hand 手（て）

39 フィンガァ **finger** 手（て）の指（ゆび）

38 ネイル **nail** つめ

40 サム **thumb** 親指（おやゆび）

41 リスト **wrist** 手首（てくび）

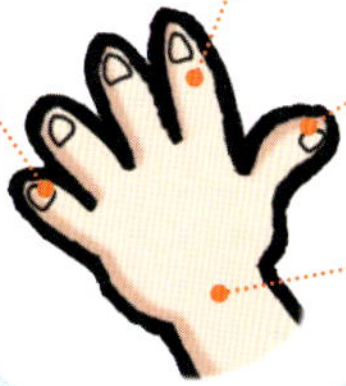

43 アィ ハヴ ア テイル **I have a tail.** ぼくはしっぽがあるよ。

42 テイル **tail** しっぽ

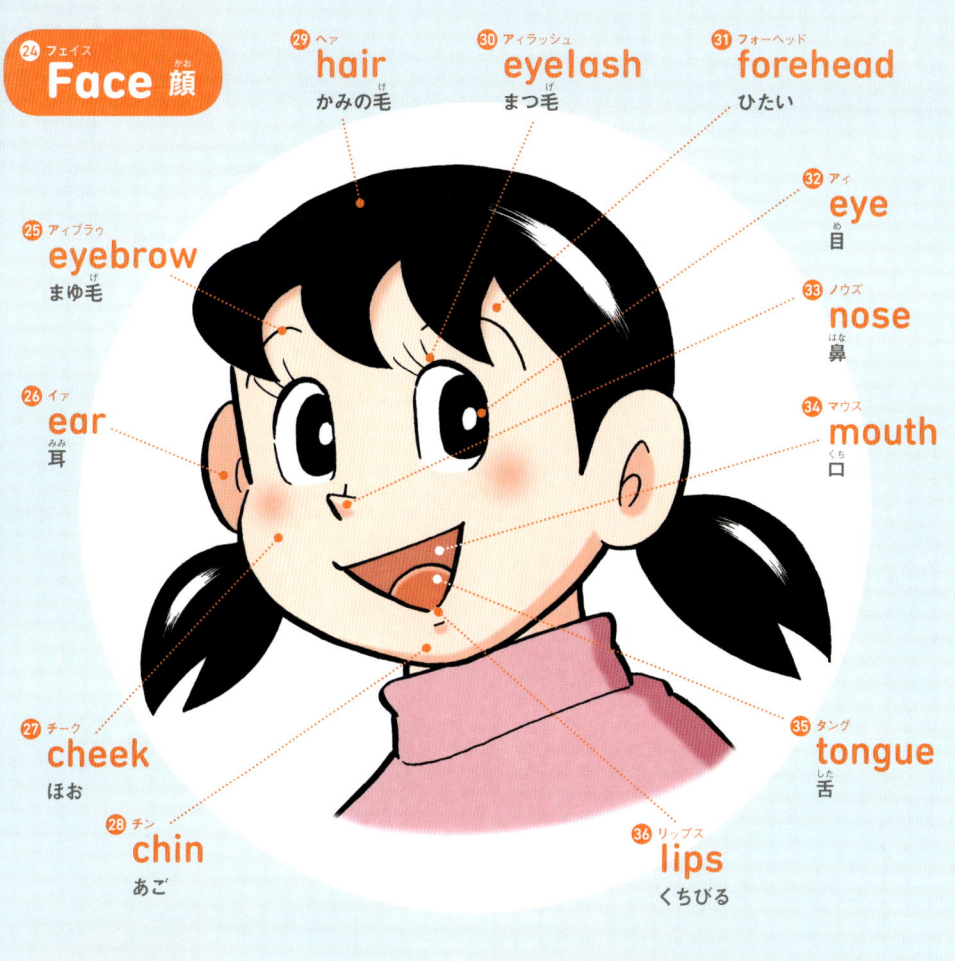

# Home 家

CD 1-9

1 ザ ハウス イズ ビッグ
The house is big!
大きい家だね！
2 ルーフ
roof
屋根
3 リヴィング ルーム
living room
リビングルーム
4 ウォール
wall
かべ
5 ウィンドウ
window
窓
6 ドア
door
ドア
7 ガラーヂ
garage
車庫
8 ドーグハウス
doghouse
犬小屋
9 ステァズ
stairs
階段
10 エントゥランス ホール
entrance hall
玄関
11 ゲイト
gate
門
12 メイルバックス
mailbox
郵便ポスト
13 フェンス
fence
フェンス

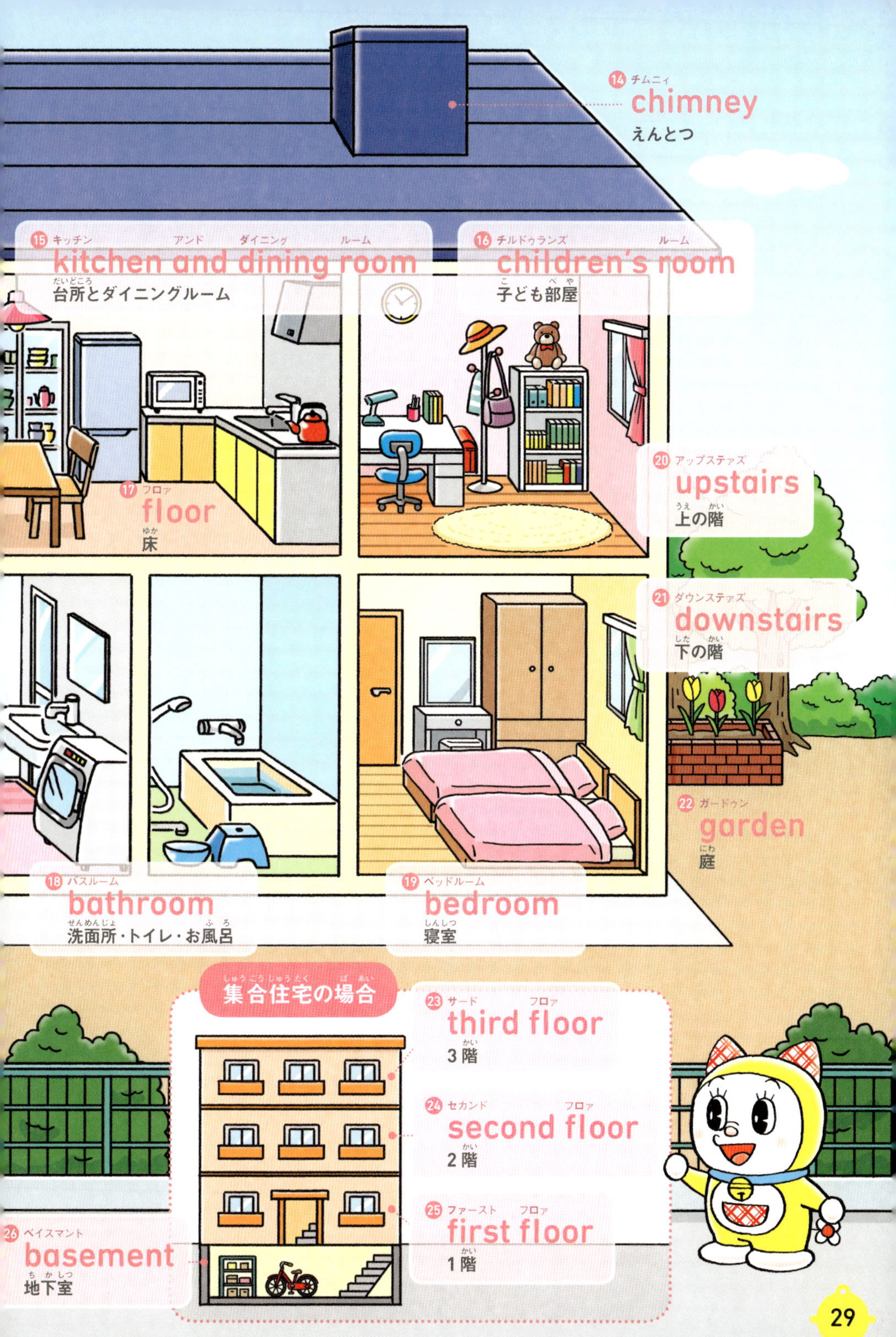

⑭ チムニィ
chimney
えんとつ
⑮ キッチン アンド ダイニング ルーム
kitchen and dining room
台所とダイニングルーム
⑯ チルドゥランズ ルーム
children's room
子ども部屋
⑰ フロァ
floor
床
⑳ アップステァズ
upstairs
上の階
㉑ ダウンステァズ
downstairs
下の階
㉒ ガードゥン
garden
庭
⑱ バスルーム
bathroom
洗面所・トイレ・お風呂
⑲ ベッドルーム
bedroom
寝室
集合住宅の場合
㉓ サード フロァ
third floor
3階
㉔ セカンド フロァ
second floor
2階
㉕ ファースト フロァ
first floor
1階
㉖ ベイスマント
basement
地下室

# Living Room リビングルーム

CD 1 -10

20 ヌーズペイパァ **newspaper** 新聞(しんぶん)

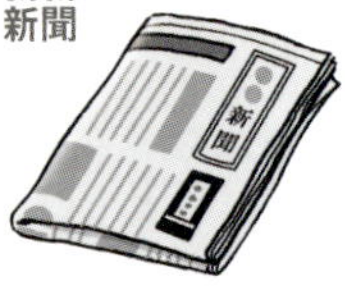

21 トゥラッシュ キャン **trash can** ごみ箱(ばこ)

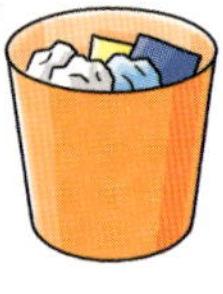

22 リモウト カントゥロウル **remote control** リモコン

23 ティーヴィー **TV** テレビ

24 テリフォウン
**telephone**
電話

25 スマートフォウン
**smartphone**
スマートフォン

26 セル フォウン
**cell phone**
けい帯電話

27 レイディオウ
**radio**
ラジオ

# キッチン アンド ダイニング ルーム
# Kitchen and Dining Room
台所(だいどころ)とダイニングルーム

CD 1 -11

## ① キッチン Kitchen 台所(だいどころ)

② アィ ライク クッキング **I like cooking!** お料理大好き！(りょうりだいすき)

③ リフリヂャレイタァ **refrigerator** 冷蔵庫(れいぞうこ)

④ ガービッヂ **garbage** 生ごみ(なまごみ)

⑤ アヴン **oven** オーブン

⑥ クックブック **cookbook** 料理の本(りょうりのほん)

⑦ ケトゥル **kettle** やかん

⑧ ボウル **bowl** ボウル

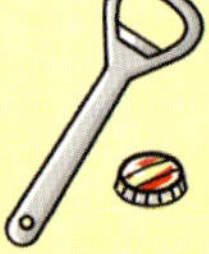

⑨ バトゥル オウパナァ **bottle opener** せんぬき

⑩ クロース **cloth** ふきん

⑪ メジャァリング スプーンズ **measuring spoons** 計量(けいりょう)スプーン

⑫ パン **pan** (浅(あさ)い)なべ

⑬ メジャァリング カップ **measuring cup** 計量(けいりょう)カップ

14 ダイニング ルーム
Dining Room
ダイニングルーム
15 マイクラウェイヴ
microwave
電子レンジ
16 カバァド
cupboard
食器だな
17 トゥレイ
tray
おぼん
18 トウスタァ
toaster
トースター
19 レッツ スタート イーティング
Let's start eating!
さあ、食べよう！
20 ライス クッカァ
rice cooker
すい飯器
21 チェア
chair
いす
22 スプーン
spoon
スプーン
23 ナイフ
knife
ナイフ
24 フォーク
fork
フォーク
25 チャップスティックス
chopsticks
はし
26 プレイト
plate
平皿
27 ディッシュ
dish
（少し深い）皿
28 グラス
glass
グラス
29 カップ
cup
カップ
30 テイブルクロース
tablecloth
テーブルクロス

# Bathroom ①

洗面所・トイレ・お風呂

CD 1 -12

① ミラァ
**mirror**
鏡

② アィ ワッシュ マィ ハンヅ ウェル
**I wash my hands well.**
手をよく洗うよ。

③ ワッシュスタンド
**washstand**
洗面台

④ バス タウァル
**bath towel**
バスタオル

⑤ ハンド ソウプ
**hand soap**
ハンドソープ

⑥ ハンド タウァル
**hand towel**
ハンドタオル

⑦ スケイル
**scale**
体重計

⑧ フォースィット
**faucet**
じゃ口

⑨ ワッシュ マィ ハンヅ
**wash my hands**
手を洗う

⑩ ブラッシュ マィ ヘァ
**brush my hair**
かみの毛をとかす

※くしでとかす場合は“comb my hair”です。

⑪ ドゥライ マィ ヘァ
**dry my hair**
かみの毛をかわかす

12 トゥースブラッシュ
**toothbrush**
歯(は)ブラシ

13 トゥースペイスト
**toothpaste**
歯(は)みがき粉(こ)

14 ネイル クリッパァズ
**nail clippers**
つめ切(き)り

15 ヘァドゥライァ
**hairdryer**
ドライヤー

16 コウム
**comb**
くし

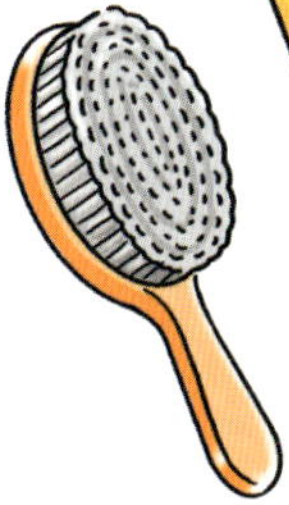

17 ヘァブラッシュ
**hairbrush**
ヘアブラシ

18 カトゥン スワーブ
**cotton swab**
綿棒(めんぼう)

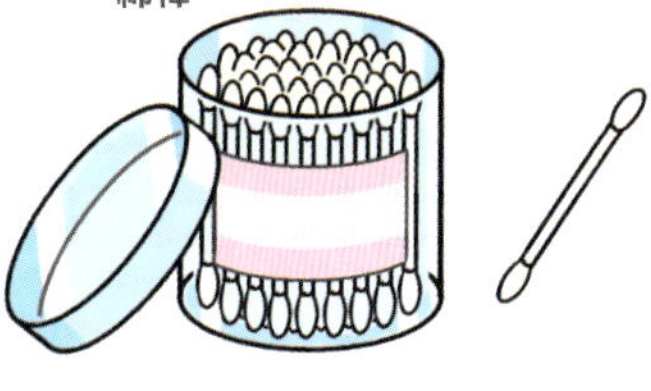

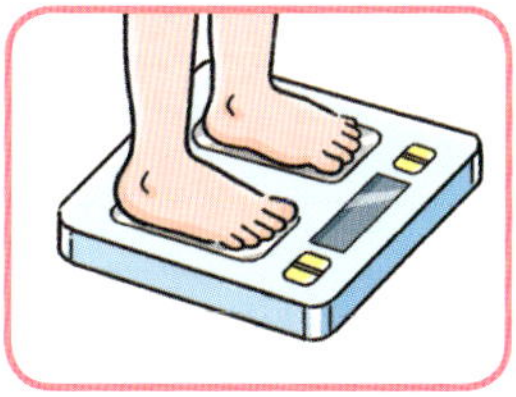

19 ウェイ マィセルフ
**weigh myself**
体重(たいじゅう)を量(はか)る

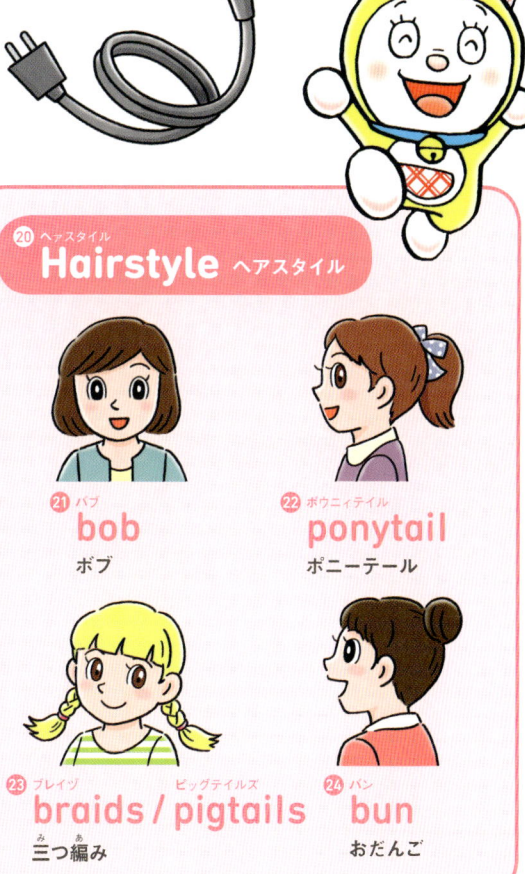

## 20 ヘァスタイル Hairstyle ヘアスタイル

21 バブ
**bob**
ボブ

22 ポウニィテイル
**ponytail**
ポニーテール

23 ブレイヅ ピッグテイルズ
**braids / pigtails**
三(み)つ編(あ)み

24 バン
**bun**
おだんご

# Bathroom ②
バスルーム

## 洗面所・トイレ・お風呂

❶ アィ ニード トゥ ゴゥ トゥ ザ バスルーム
**I need to go to the bathroom!**
トイレに行きたいよ！

② トイリット ペイパァ
**toilet paper**
トイレットペーパー

③ トイリット
**toilet**
便器

④ スリッパァズ
**slippers**
スリッパ

⑮ ゴゥ トゥ ザ バスルーム
**go to the bathroom**
トイレに行く

⑯ フラッシュ ザ トイリット
**flush the toilet**
トイレを流す

⑰ プー
**poo**
うんち

⑱ ピー
**pee**
おしっこ

5 アイ フィール グッド
**I feel good!**
いい気持ち！

6 ハット ウォータァ
**hot water**
お湯

7 シャウァ
**shower**
シャワー

8 バスタブ
**bathtub**
浴そう

9 バブルズ
**bubbles**
あわ

10 シャンプー
**shampoo**
シャンプー

11 ワッシュボウル
**washbowl**
洗面器

12 カンディショナァ
**conditioner**
コンディショナー

13 スパンヂ
**sponge**
スポンジ

14 ソウプ
**soap**
石けん

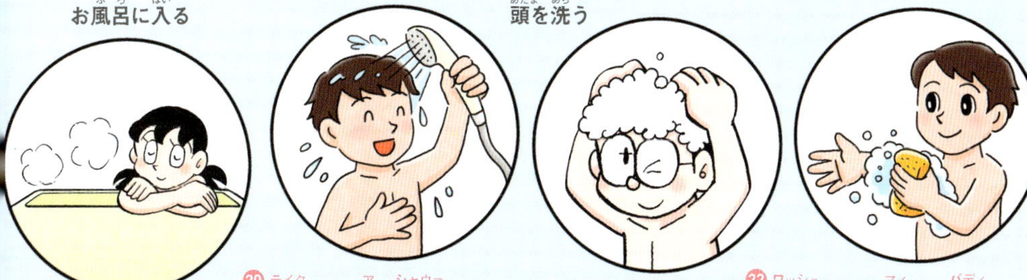

19 テイク ア バス
**take a bath**
お風呂に入る

20 テイク ア シャウァ
**take a shower**
シャワーを浴びる

21 シャンプー マイ ヘァ
**shampoo my hair**
頭を洗う

22 ワッシュ マイ バディ
**wash my body**
体を洗う

家の中

# My Room ぼく・わたしの部屋

CD 1-14

1 ポウスタァ
poster
ポスター
○○小学校
学芸会
2 キャランダァ
calendar
カレンダー
June 6
3 カンファタァ
comforter
かけ布団
4 ピロゥ
pillow
まくら
5 ベッド
bed
ベッド
6 ドゥロァ
drawer
引き出し
7 ズィス イズ マィ ルーム
This is my room.
わたしの部屋よ。
8 アルバム
album
アルバム
9 ディーヴィーディー
DVD
ディーブイディー
10 ヒスタリィ ブック
history book
歴史の本
日本の歴史
11 ラッグ
rug
ラグ
12 ブック
book
本
13 マガズィーン
magazine
雑誌

14 スィーリング
ceiling
てんじょう
天井
15 ブックシェルフ
bookshelf
ほん
本だな
16 ディクシャネリィ
dictionary
じしょ
辞書
17 クラズィット
closet
ようふく
洋服だんす
18 スィーディープレイァ
CD player
シーディー
CDプレイヤー
19 デスク ランプ
desk lamp
でんき
電気スタンド
20 デスク
desk
つくえ
机
21 ダイアリィ
diary
にっき
日記
22 スィーディー
CD
シーディー
23 ティシューズ
tissues
ティッシュペーパー
24 チェア
chair
いす
25 スクール バックパック
school backpack
ランドセル
26 クッション
cushion
クッション
漢字辞典
国語辞典

# Vegetables 野菜

CD 1-15

1 cucumber
きゅうり

2 pumpkin
かぼちゃ

3 asparagus
アスパラガス

4 tomato
トマト

5 spinach
ほうれん草

6 eggplant
なす

7 onion
玉ねぎ

8 leek
ねぎ

9 bean sprouts
もやし

10 radish
はつか大根

11 zucchini
ズッキーニ

12 carrot
にんじん

13 Japanese radish
大根

14 broccoli
ブロッコリー

15 レティス
**lettuce**
レタス

16 ヴェヂタブルズ　アー　グッド　フォア　ユー
**Vegetables are good for you.**
野菜は体にいいのよ。

17 ターニップ
**turnip**
かぶ

18 ピーズ
**peas**
えんどう豆

19 コーラフラウァ
**cauliflower**
カリフラワー

20 マッシュルーム
**mushroom**
マッシュルーム

21 パテイトウ
**potato**
じゃがいも

22 グリーン　ペッパァ
**green pepper**
ピーマン

23 スウィート　パテイトウ
**sweet potato**
さつまいも

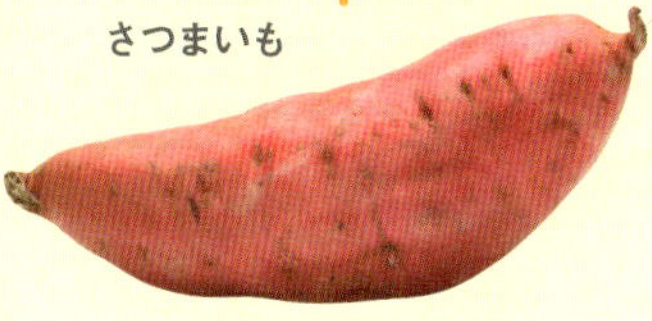

24 コーン
**corn**
とうもろこし

25 ビーンズ
**beans**
豆

26 キャビッヂ
**cabbage**
キャベツ

27 フレッシュ　ヴェヂタブルズ　アー　ヤミィ
**Fresh vegetables are yummy.**
新せんな野菜はおいしいよ。

# Fruits（フルーツ） 果物（くだもの）

CD 1 -16

1 アイ ラヴ アプルズ ハウ アバウト ユー
I love apples. How about you?
わたしはりんごが大好（だいす）き。あなたは？

2 アプル
**apple**
りんご

3 マンダリン オーリンヂ
**mandarin orange**
みかん

4 キーウィ
**kiwi**
キウイ

5 ペア
**pear**
なし

6 ナッツ
**nuts**
ナッツ

7 マンゴゥ
**mango**
マンゴー

8 バナナ
**banana**
バナナ

9 ストゥローベリィ
**strawberry**
いちご

10 レマン
**lemon**
レモン

11 グレイプス
**grapes**
ぶどう

12 パパーヤ
**papaya**
パパイヤ

13 ブルーベリィ
**blueberry**
ブルーベリー

14 チェリィ
**cherry**
さくらんぼ

15 メラン
**melon**
メロン

16 チェスナット
**chestnut**
くり

17 コウカナット
**coconut**
ココナッツ

18 ウォータァメラン
**watermelon**
すいか

19 グレイプフルート
**grapefruit**
グレープフルーツ

20 パァスィマン
**persimmon**
かき

21 プラム
**plum**
プラム

22 オーリンヂ
**orange**
オレンジ

23 ピーチ
**peach**
もも

26 アイ ライク バナナズ
**I like bananas!**
ぼくはバナナが好(す)き！

24 ライチ
**lychee**
ライチ

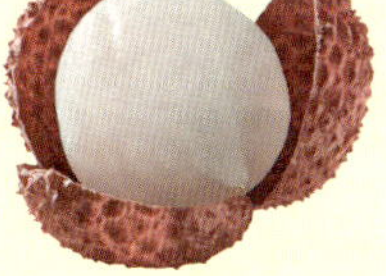

25 パイナプル
**pineapple**
パイナップル

# Meals 食事(しょくじ)
ミールズ

CD 1 -17

① コーン スープ
**corn soup**
コーンスープ

② ベイカン
**bacon**
ベーコン

③ エッグ
**egg**
卵(たまご)

④ トウスト
**toast**
トースト

⑤ バタァ
**butter**
バター

⑥ フライド エッグ
**fried egg**
目玉焼き(めだまや)

⑦ チーズ
**cheese**
チーズ

⑧ ロウル
**roll**
ロールパン

⑨ ヂャム
**jam**
ジャム

⑩ パンケイクス
**pancakes**
ホットケーキ

⑪ ハニィ
**honey**
はちみつ

⑫ ブレッド
**bread**
パン

⑬ スィァリアル
**cereal**
シリアル

⑭ (ホ)ワット ウッド ユー ライク フォァ ブレックファスト
**What would you like for breakfast?**
朝ごはんに何を食べたい？(あさ・なに・た)

⑮ トウスト アンド ミルク プリーズ
**Toast and milk, please.**
トーストと牛乳をちょうだい。(ぎゅうにゅう)

16 アマリット
**omelet**
オムレツ

17 ズィス　ミール　イズ　ヘルスィ
**This meal is healthy.**
このメニューは健康的(けんこうてき)だね。

18 スクランブルド　エッグズ
**scrambled eggs**
スクランブルエッグ

19 ボイルド　エッグ
**boiled egg**
ゆで卵(たまご)

20 ハム
**ham**
ハム

22 ソースィッヂ
**sausage**
ソーセージ

21 ピクルド　プラム
**pickled plum**
梅干し(うめぼ)

23 スィーウィード
**seaweed**
のり

25 メイン　ディッシュ
**main dish**
主菜(しゅさい)

24 グリルド　フィッシュ
**grilled fish**
焼き魚(や　ざかな)

26 サイド　ディッシュ
**side dish**
副菜(ふくさい)

27 ミートボール
**meatball**
肉(にく)だんご

28 ライス
**rice**
ごはん

29 ミソゥ　スープ
**miso soup**
みそしる

30 サラッド　アンド　ヨウガァト　アー
**Salad and yogurt are**
マィ　パウァ　アップ　ミール
**my power-up meal.**
サラダとヨーグルトは元気(げんき)が出(で)る食事(しょくじ)だよ。

31 サラッド
**salad**
サラダ

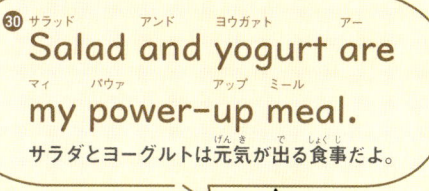

32 ヨウガァト
**yogurt**
ヨーグルト

# Dishes（ディッシィズ） 料理（りょうり）

CD 1 -18

❶ curry and rice（カーリィ アンド ライス）
カレーライス

❷ hamburger steak（ハンバーガァ ステイク）
ハンバーグ

❸ spaghetti（スパゲティ）
スパゲッティ

❹ fried chicken（フライド チキン）
からあげ

❺ fried rice（フライド ライス）
チャーハン

❻ Korean barbecue（カリーアン バービキュー）
焼肉（やきにく）

❼ pork cutlet（ポーク カットゥリット）
とんかつ

❽ I want stew.（アイ ワント ストゥー）
シチューがほしいな。

❾ stew（ストゥー）
シチュー

❿ sandwich（サンドゥウィッチ）
サンドイッチ

⓫ steak（ステイク） / beefsteak（ビーフステイク）
ビーフステーキ

⑬ ディープ フライド プローン
**deep-fried prawn**
えびフライ

⑫ クロウケット
**croquette**
コロッケ

⑭ ピーツァ
**pizza**
ピザ

⑮ ハンバーガァ
**hamburger**
ハンバーガー

⑯ ハット ドーグ
**hot dog**
ホットドッグ

⑰ ヌードゥルズ
**noodles**
ヌードル

⑳ フレンチ フライズ
**French fries**
フライドポテト

⑱ ウドン ヌードゥルズ
**udon noodles**
うどん

⑲ ラーメン
**ramen**
ラーメン

㉑ ロウスト ビーフ
**roast beef**
ローストビーフ

㉒ グラターン
**gratin**
グラタン

㉔ ヒアズ ザ メニュー
Here's the menu.
キャン アイ テイク ユア オーダァ
Can I take your order?
メニューです。ご注文(ちゅうもん)をお願(ねが)いします。

㉓ ベントウ バックス
**bento box**
弁当(べんとう)

# Desserts and Snacks
ディザーツ アンド スナックス

デザートとおやつ

CD 1-19

1 キャンディ
**candy**
あめ

3 クラッカァ
**cracker**
クラッカー

5 ガム
**gum**
ガム

4 ソーフト アイス クリーム
**soft ice cream**
ソフトクリーム

2 ラリィパップ
**lollipop**
ぺろぺろキャンディ

6 クッキィ
**cookie**
クッキー

7 チョーカラット
**chocolate**
チョコレート

8 ケイク
**cake**
ケーキ

9 チーズケイク
**cheesecake**
チーズケーキ

10 チョーカラット ケイク
**chocolate cake**
チョコレートケーキ

11 パーフェイ
**parfait**
パフェ

12 チェロウ
**jello**
ゼリー

13 カスタァド プディング
**custard pudding**
プリン

14 マフィン
**muffin**
マフィン

15 アィ ライク パテイトウ チップス
I like potato chips
ヴェリィ マッチ
very much!
ポテトチップス、大(だい)好(す)き！

16 キャラマル
**caramel**
キャラメル

17 マーシュメロウ
**marshmallow**
マシュマロ

18 アイス クリーム
**ice cream**
アイスクリーム

19 ドウナット ドウナット
**doughnut / donut**
ドーナツ

20 クリーム パフ
**cream puff**
シュークリーム

21 アプル パィ
**apple pie**
アップルパイ

22 パップコーン
**popcorn**
ポップコーン

26 ヒア ユー アー
Here you are.
はい、どうぞ。

23 カップケイク
**cupcake**
カップケーキ

24 クレイプ
**crepe**
クレープ

25 パテイトウ チップス
**potato chips**
ポテトチップス

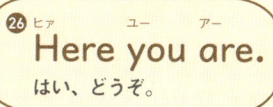

# Drinks 飲み物

ドゥリンクス

CD 1 -20

## ① ソウダ パップ Soda Pop 炭酸飲料

② コウラ
**cola**
コーラ

③ヂンヂャァ エイル
**ginger ale**
ジンジャーエール

④ アイスクリーム ソウダ
**ice-cream soda**
クリームソーダ

⑤ ウーローング ティー
**oolong tea**
ウーロン茶

## ⑦ ヂュース Juice ジュース

⑧ オーリンヂ ヂュース
**orange juice**
オレンジジュース

⑨ アプル ヂュース
**apple juice**
りんごジュース

⑩ グレイプ ヂュース
**grape juice**
ぶどうジュース

⑪ シェイク
**shake**
シェイク

⑬ (ホ)ワット ウッド ユー ライク トゥ ドゥリンク
**What would you like to drink?**
何が飲みたい？

⑭ アィ ワント アプル ヂュース
**I want apple juice.**
りんごジュースが飲みたいな。

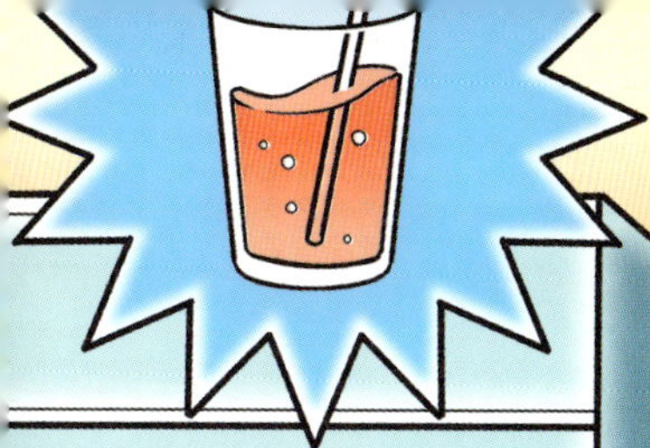

6 ミルク
milk
牛乳（ぎゅうにゅう）

12 ミナラル
mineral
ウォータァ
water
ミネラルウォーター

16 コーフィ
coffee
コーヒー

17 ティー
tea
紅茶（こうちゃ）

18 コウコゥ
cocoa
ココア

19 グリーン ティー
green tea
緑茶（りょくちゃ）

15 アイス
ice
氷（こおり）

20 ウォータァ
water
水（みず）

# School Rooms 学校の教室

CD 1-21

1 computer room（カンピュータァ ルーム）
コンピュータ室

2 arts and crafts room（アーツ アンド クラフツ ルーム）
図工室

3 classroom（クラスルーム）
教室

4 bathroom / restroom（バスルーム / レストゥルーム）
トイレ

5 library（ライブレリィ）
図書室

6 science room（サイアンス ルーム）
理科室

7 nurse's office（ナースィズ オーフィス）
保健室

12 entrance（エントゥランス）
入り口

13 principal's office（プリンスィパルズ オーフィス）
校長室

14 office（オーフィス）
事務室

15 jungle gym（チャングル ヂム）
ジャングルジム

16 sandbox（サンドゥバックス）
砂場

17 horizontal bar（ホーラザントゥル バー）
鉄棒

18 teachers' room（ティーチャァズ ルーム）
職員室

8 スクール ビルディング
**school building**
校舎（こうしゃ）

9 ミューズィック ルーム
**music room**
音楽室（おんがくしつ）

10 クッキング ルーム
**cooking room**
調理室（ちょうりしつ）

11 スウィミング プール
**swimming pool**
プール

19 フラウアベッド
**flowerbed**
花（か）だん

20 スクール ゲイト
**school gate**
校門（こうもん）

21 チム
**gym**
体育館（たいいくかん）

22 プレイグラウンド スクールヤード
**playground / schoolyard**
校庭（こうてい）

23 (ホ)ワット グレイド アー ユー イン
**What grade are you in?**
何年生（なんねんせい）？

24 アイム イン ザ フィフス グレイド
**I'm in the fifth grade.**
ぼくは5年生（ねんせい）。

## 25 グレイド Grade 学年（がくねん）

| | |
|---|---|
| 26 ファースト グレイド **first grade** | 1年生（ねんせい） |
| 27 セカンド グレイド **second grade** | 2年生（ねんせい） |
| 28 サード グレイド **third grade** | 3年生（ねんせい） |
| 29 フォース グレイド **fourth grade** | 4年生（ねんせい） |
| 30 フィフス グレイド **fifth grade** | 5年生（ねんせい） |
| 31 スィックスス グレイド **sixth grade** | 6年生（ねんせい） |

32 キャフェティァリァ ランチルーム
**cafeteria / lunchroom**
カフェテリア／ランチルーム

海外（かいがい）ではカフェテリアでお昼（ひる）ご飯（はん）を食（た）べるところもあるよ。

# Classroom（クラスルーム） 教室（きょうしつ）

CD 1-22

1 スピーカァ **speaker** スピーカー

2 クラァック **clock** 時計（とけい）

3 ホウムルーム ティーチャァ **homeroom teacher** 担任の先生（たんにんのせんせい）

4 グロウブ **globe** 地球ぎ（ちきゅうぎ）

5 ブラックボード **blackboard** 黒板（こくばん）

6 ジャイアン キャン ユー アンサァ **Gian, can you answer?** ジャイアン、答（こた）えてください。

7 チョーク **chalk** チョーク

8 ハンドアウト **handout** プリント

9 クラスメイト **classmate** クラスメート

10 ストゥードゥント **student** 生徒（せいと）

⑪ マトゥ **motto** 標語（ひょうご）

⑫ マップ **map** 地図（ちず）

⑬ クラス スケヂュール **class schedule** 時間割り（じかんわり）

⑭ イレイサァ **eraser** 黒板消し（こくばんけし）

⑮ フィッシュ タンク **fish tank** 水そう（すいそう）

⑯ テクストブック **textbook** 教科書（きょうかしょ）

⑰ クラスルーム ライブレリィ **classroom library** 学級文庫（がっきゅうぶんこ）

⑱ ウェル **Well...** ええと……

⑲ インドァ シューズ **indoor shoes** 上ばき（うわばき）

⑳ ロッカァ **locker** ロッカー

## ㉑ ティーチャァズ Teachers 先生（せんせい）

㉒ プリンスィパル **principal** 校長先生（こうちょうせんせい）

㉓ ヴァイス プリンスィパル **vice-principal** 副校長先生（ふくこうちょうせんせい）

㉔ スクール ナース **school nurse** 保健の先生（ほけんのせんせい）

㉕ エイエルティー **ALT** 外国語指導助手（がいこくごしどうじょしゅ）

㉖ ライブレァリアン **librarian** 図書館司書（としょかんししょ）

ステイショネリィ
# Stationery 文房具（ぶんぼうぐ）

CD 1 -23

1 ペンサル
**pencil**
えんぴつ

2 ペンズ
**pens** ペン

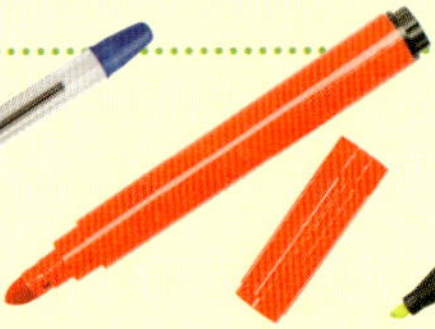

3 ボールポイント ペン
**ballpoint pen**
ボールペン

4 マーカァ
**marker**
マーカー

5 ハイライタァ
**highlighter**
けい光（こう）ペン

6 イレイサァ
**eraser**
消（け）しゴム

7 インク
**ink**
インク

8 ミキャニカル ペンサル
**mechanical pencil**
シャープペンシル

9 ペンサル ケイス
**pencil case**
筆箱（ふでばこ）

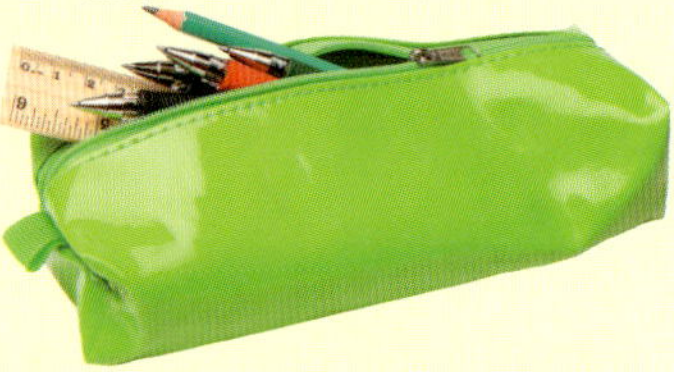

10 カラァド ペンサルズ
**colored pencils**
色（いろ）えんぴつ

11 テイプ
**tape**
テープ

12 バックス カッタァ
**box cutter**
カッターナイフ

13 スィザァズ
**scissors**
はさみ

14 ノウトブック
**notebook**
ノート

16 ステイプラァ
**stapler**
ホッチキス

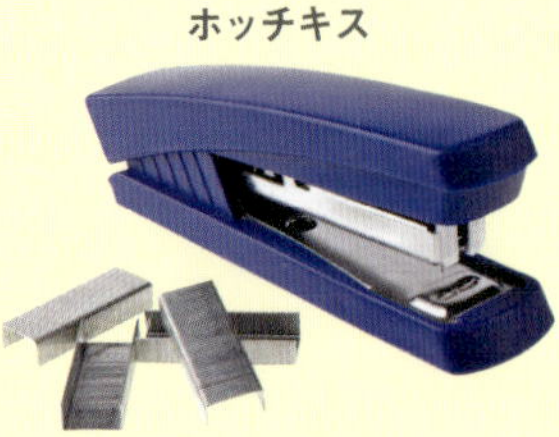

15 ドウント ファゲット トゥ ブリング ゼム
**Don't forget to bring them.**
持（も）って行（い）くのを、忘（わす）れないでね。

17 クリップ
**clip**
クリップ

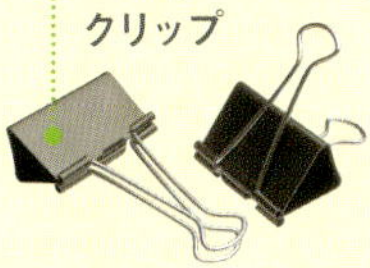

18 アイム スタディイング ナゥ
**I'm studying now.**
ただ今(いま)、勉強中(べんきょうちゅう)。

19 ペンサル シャープナァ
**pencil sharpener**
えんぴつけずり

20 カンパス
**compass**
コンパス

21 ルーラァ
**ruler**
定規(じょうぎ)

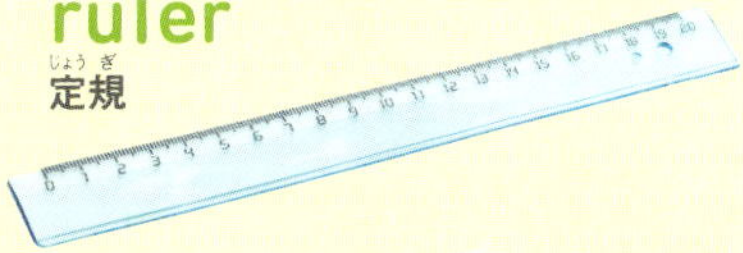

22 ペイパァ
**paper**
紙(かみ)

23 クレイアンズ
**crayons**
クレヨン

27 トゥライアングル
**triangle**
三角定規(さんかくじょうぎ)

26 ペインツ
**paints**
絵の具(えのぐ)

24 ブラッシュ
**brush**
筆(ふで)

25 キャルキュレイタァ
**calculator**
電たく(でんたく)

28 パレット
**palette**
パレット

29 アバカス
**abacus**
そろばん

32 グルー
**glue** のり

33 ペイスト
**paste**
でんぷんのり

34 グルー スティック
**glue stick**
スティックのり

31 スティッキィ ノウト
**sticky note**
ふせん

30 マスキング テイプ
**masking tape**
マスキングテープ

# School Life 学校生活

CD 1 -24

❶ ヂャパニーズ
**Japanese**
国語

❷ イングリッシュ
**English**
英語

❸ マス
**math**
算数

❹ ピーイー
**P.E.**
体育

❺ ミューズィック
**music**
音楽

❻ アーツ アンド クラフツ
**arts and crafts**
図工

❼ モーラル エヂュケイション
**moral education**
道徳

❽ カミッティー アクティヴィティズ
**committee activities**
委員会活動

❾ ホウムルーム アクティヴィティズ
**homeroom activities**
学級活動

他には こんな言葉も あるよ

⑲ ランチタイム
**lunchtime**
給食の時間

⑳ テスト イグザム
**test / exam**
テスト／試験

⑩ サイアンス
**science**
理科（りか）

⑪ ソウシャル スタディズ
**social studies**
社会科（しゃかいか）

⑫ リヴィング インヴァイランマント スタディズ
**living environment studies**
生活科（せいかつか）

⑬ ホウム イーカナミックス
**home economics**
家庭科（かていか）

⑭ カリグラフィ
**calligraphy**
習字（しゅうじ）

⑮ プロウグラミング
**programming**
プログラミング

⑯ クラブ アクティヴィティズ
**club activities**
クラブ活動（かつどう）

⑰ リポート カード
**report card**
通知表（つうちひょう）

⑱ （ホ）ワット ア バッド グレイド
**What a bad grade!**
ひどい成績（せいせき）ね！

㉑ サブヂクト
**subject**
教科（きょうか）

㉒ モーニング ミーティング
**morning meeting**
朝礼（ちょうれい）

㉓ リーセス
**recess**
休み時間（やすみじかん）

㉔ アフタァ スクール
**after school**
放課後（ほうかご）

㉕ クラス
**class**
授業（じゅぎょう）

㉖ ヴァランティァ デイ
**volunteer day**
ボランティアの日（ひ）

# 学校　Classroom English ①
学校で使う英語

CD 1 -25

## 授業の始まり

① レッツ ビギン トゥデイズ クラス
**Let's begin today's class.**
今日の授業を始めましょう。

② オウプン ユァ テクストブックス トゥ ペイヂ イレヴン
**Open your textbooks to page 11.**
教科書の 11 ページを開いて。

③ イズ エヴリィワン ヒァ
**Is everyone here?**
みんないますか？

④ ノゥ エミ イズ アブサント
**No, Emi is absent.**
いいえ、えみが休みです。

⑤ ハンド イン ユァ ホウムワーク
**Hand in your homework.**
宿題を出してください。

⑥ サリィ アィ ファガット イット
**Sorry, I forgot it.**
すみません、忘れました。

7 Who knows this answer? 答えがわかる人は？
8 I do! わかります！
9 I don't know it. わかりません。

10 Let's sing and dance. 歌っておどりましょう。
11 All right. はい。

12 Let's watch the video. ビデオを見ましょう。

13 Please get into pairs. ペアになってください。

14 Point at the picture. 絵を指さしてください。

# Classroom English ②

学校で使う英語

CD 1 -26

## 授業中

① アィ ハヴ ア クウェスチョン
**I have a question.**
質問があります。

② シュア
**Sure.**
いいですよ。

③ アィ キャント ヒア ユー
**I can't hear you.**
聞こえません。

④ ワン モア タイム プリーズ
**One more time, please.**
もう一度お願いします。

⑤ フーズ ターン イズ イット
**Whose turn is it?**
だれの番ですか？

⑥ イッツ マィ ターン
**It's my turn.**
わたしの番です。

⑦ スタンド アップ
**Stand up.**
立って。

⑧ スィット ダウン
**Sit down.**
座って。

9 May I go to the bathroom?
トイレに行っていいですか？
10 Okay.
いいですよ。
11 Good job!
よくできました！
12 Let's have a test.
テストをしましょう。
13 Oh, no!
えーっ！
授業の終わり
14 That's all for today.
今日はこれで終わりです。
15 Thank you, Ms. Green.
グリーン先生、ありがとうございます。
16 Erase the blackboard.
黒板を消しておいて。
17 Yes, of course.
はい、わかりました。

# Numbers（ナンバァズ） 数（かず）

CD 1-27

① How many dorayakies are there?（ハウ メニィ ドラヤキーズ アー ゼァ）
どらやきはいくつあるかな？

② Let's count them!（レッツ カウント ゼム）
数（かぞ）えましょう！

| | |
|---|---|
| 1 | ③ one（ワン） |
| 2 | ④ two（トゥー） |
| 3 | ⑤ three（スリー） |
| 4 | ⑥ four（フォー） |
| 5 | ⑦ five（ファイヴ） |
| 6 | ⑧ six（スィックス） |
| 7 | ⑨ seven（セヴン） |
| 8 | ⑩ eight（エイト） |
| 9 | ⑪ nine（ナイン） |
| 10 | ⑫ ten（テン） |

| | |
|---|---|
| **11** | ⑬ イレヴァン **eleven** |
| **12** | ⑭ トゥウェルヴ **twelve** |
| **13** | ⑮ サーティーン **thirteen** |
| **14** | ⑯ フォーティーン **fourteen** |
| **15** | ⑰ フィフティーン **fifteen** |
| **16** | ⑱ スィックスティーン **sixteen** |
| **17** | ⑲ セブンティーン **seventeen** |
| **18** | ⑳ エイティーン **eighteen** |
| **19** | ㉑ ナインティーン **nineteen** |

| | |
|---|---|
| **20** | ㉒ トゥウェンティ **twenty** |
| **30** | ㉓ サーティ **thirty** |
| **40** | ㉔ フォーティ **forty** |
| **50** | ㉕ フィフティ **fifty** |
| **60** | ㉖ スィックスティ **sixty** |
| **70** | ㉗ セヴンティ **seventy** |
| **80** | ㉘ エイティ **eighty** |
| **90** | ㉙ ナインティ **ninety** |
| **100** | ㉚ ワン　ハンドゥラッド **one hundred** |

| | |
|---|---|
| **1千(せん)** | ㉛ ワン　サウザンド **one thousand** |
| **1万(まん)** | ㉜ テン　サウザンド **ten thousand** |
| **10万(まん)** | ㉝ ワン　ハンドゥラッド　サウザンド **one hundred thousand** |
| **100万(まん)** | ㉞ ワン　ミリャン **one million** |
| **1億(おく)** | ㉟ ワン　ハンドゥラッド　ミリャン **one hundred million** |
| **10億(おく)** | ㊱ ワン　ビリャン **one billion** |
| **0** | ㊲ ズィァロウ **zero** |

㊳ イッツ　ア　ラーヂ
**It's a large number!**
大(おお)きな数字(すうじ)だな！

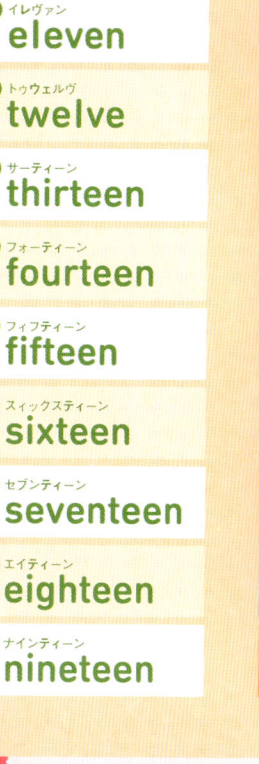

# Colors and Patterns
### <small>カラァズ　アンド　パタァンズ</small>
色と模様 <small>いろ　も よう</small>

CD 1 -28

**①** (ホ)ワット　カラァ　ドゥ　ユー　ライク
## What color do you like?
どの色が好き？ <small>いろ す</small>

**②** レッド
## red
赤 <small>あか</small>

**③** ブルー
## blue
青 <small>あお</small>

**④** イェロゥ
## yellow
黄色 <small>き いろ</small>

**⑤** グリーン
## green
緑 <small>みどり</small>

**⑥** オーリンヂ
## orange
オレンジ色 <small>いろ</small>

**⑦** ピンク
## pink
ピンク

**⑧** パープル
## purple
紫 <small>むらさき</small>

**⑨** ブラック
## black
黒 <small>くろ</small>

**⑩** ホワイト
## white
白 <small>しろ</small>

**⑪** グレイ
## gray
灰色 <small>はいいろ</small>

⑮ アイ ライク ブルー ベスト
**I like blue best!**
わたしは青(あお)がいちばん好(す)き！

⑫ ブラウン
**brown**
茶色(ちゃいろ)

⑬ ライト ブルー
**light blue**
水色(みずいろ)

⑭ イエロウ グリーン
**yellow-green**
黄緑(きみどり)

⑯ ダーク ブルー
**dark blue**
紺色(こんいろ)

⑰ ゴウルド
**gold**
金色(きんいろ)

⑱ スィルヴァ
**silver**
銀色(ぎんいろ)

## ⑲ パタァンズ Patterns 模様(もよう)

⑳ チェックト
**checked**
チェック模様(もよう)の

㉑ ポウルカ ダッティド
**polka dotted**
水玉模様(みずたまもよう)の

㉒ ストゥライプト
**striped**
しま模様(もよう)の

# Shapes(シェイプス) and(アンド) Lines(ラインズ) 形(かたち)と線(せん)

CD 1 -29

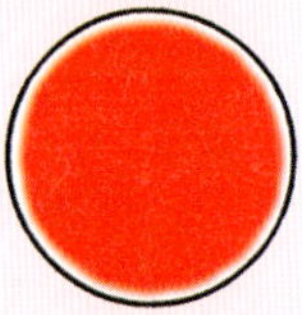

1 サークル
**circle**
円(えん)

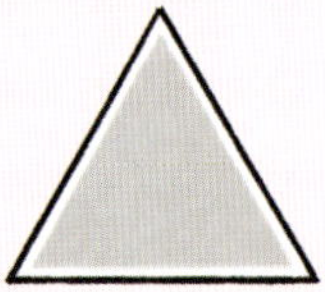

2 トゥライアングル
**triangle**
三角形(さんかくけい)

3 スクウェァ
**square**
四角形(しかくけい)（正方形(せいほうけい)）

4 レクタングル
**rectangle**
長方形(ちょうほうけい)

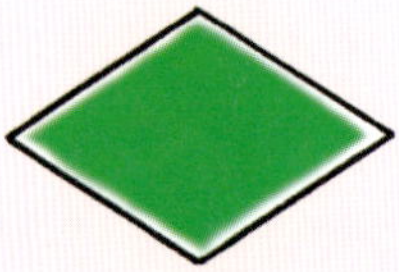

5 ダイァマンド
**diamond**
ひし形(がた)

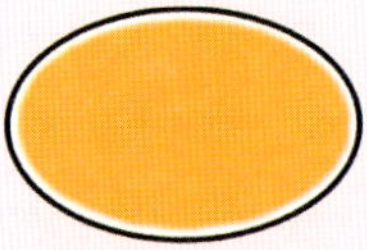

6 オウヴァル
**oval**
だ円(えん)

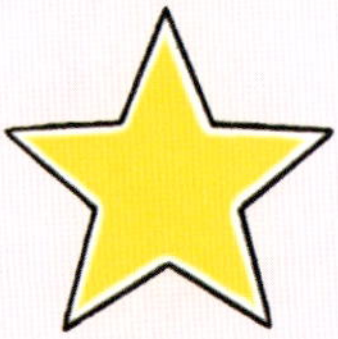

7 スタァ
**star**
星(ほし)

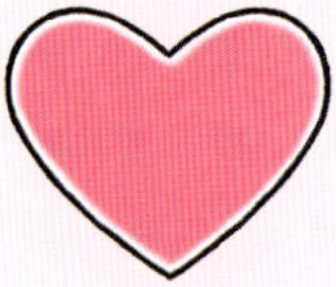

8 ハート
**heart**
ハート

9 クロース
**cross**
十字形(じゅうじがた)

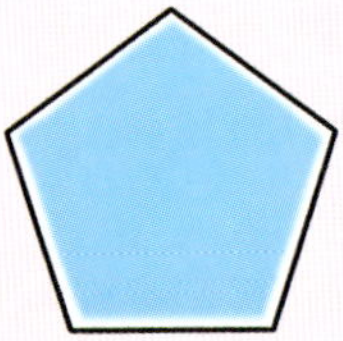

10 ペンタガン
**pentagon**
五角形(ごかくけい)

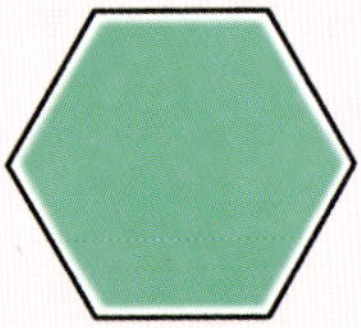

11 ヘクサガン
**hexagon**
六角形(ろっかくけい)

12 (ホ)ワット シェイプ ドゥ ユー ライク
**What shape do you like?**
どの形(かたち)が好(す)き？

13 アィ ライク スタァズ
**I like stars.**
星(ほし)が好(す)き。

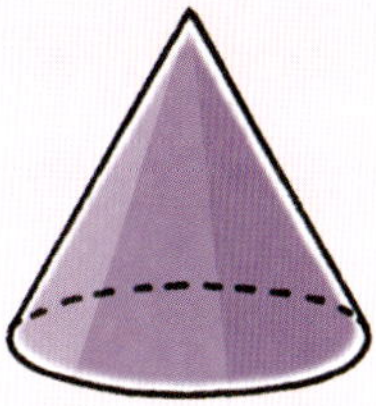

14 コウン
**cone**
円すい

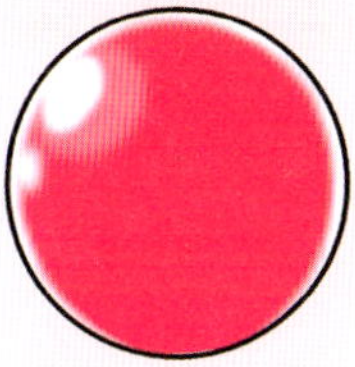

15 スフィァ
**sphere**
球

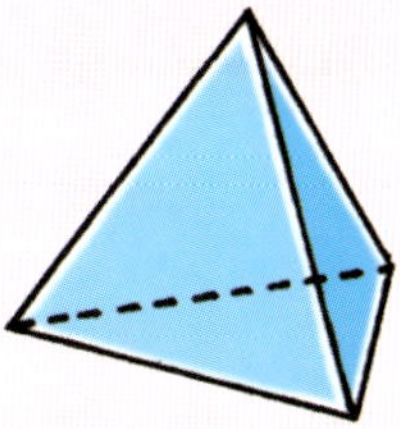

16 ピラミッド
**pyramid**
ピラミッド形

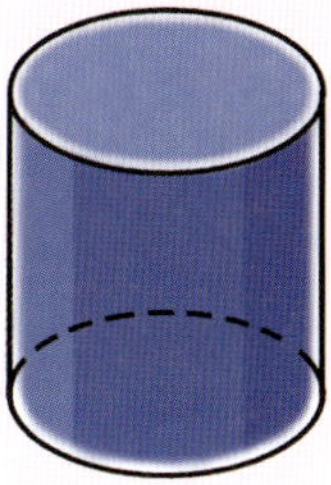

17 スィリンダァ
**cylinder**
円柱

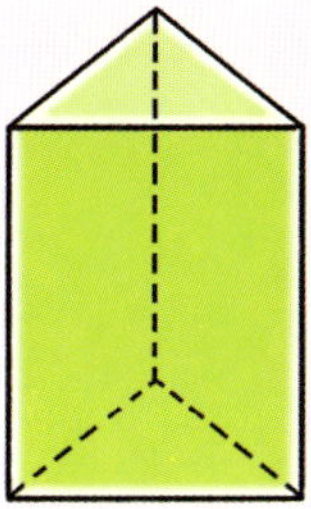

18 プリズム
**prism**
角柱

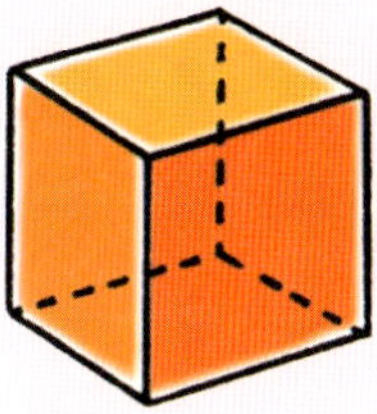

19 キューブ
**cube**
立方体

## 20 ラインズ Lines 線

21 ストゥレイト ライン
**straight line**
直線

22 カーヴ
**curve**
曲線

23 ズィグザグ ライン
**zigzag line**
ジグザグ線

24 スパイラル
**spiral**
らせん

25 アィム ドゥローイング メニィ ラインズ
I'm drawing many lines.
たくさん線を描いているの。

# Math(マス) 算数(さんすう)

CD 1-30

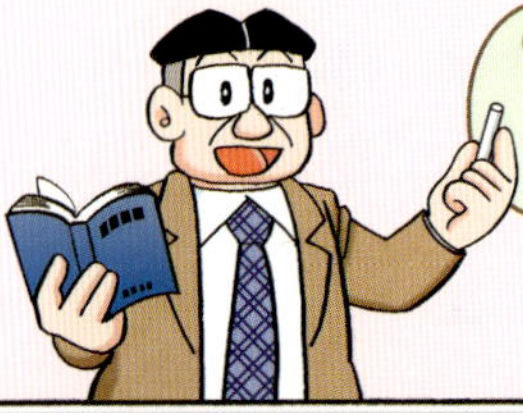

① キャン ユー サルヴ ザ プラブレムズ
**Can you solve the problems?**
この問題(もんだい)を解(と)けますか？

| | | | |
|---|---|---|---|
| ② アディション **addition** 足し算(たしざん) | $3+9=?$ | $+$ | ③ プラス **plus** 足(た)す |
| ④ サブトゥラクション **subtraction** 引き算(ひきざん) | $8-4=?$ | $-$ | ⑤ マイナス **minus** 引(ひ)く |
| ⑥ マルタプリケイション **multiplication** かけ算(ざん) | $5\times7=?$ | $\times$ | ⑦ タイムズ **times** かける |
| ⑧ ディヴィジョン **division** 割り算(わりざん) | $12\div2=?$ | $\div$ | ⑨ ディヴァイディド バイ **divided by** 割(わ)る |

⑩ ダット **dot** 点(てん)

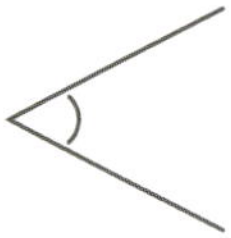

⑪ アングル **angle** 角度(かくど)

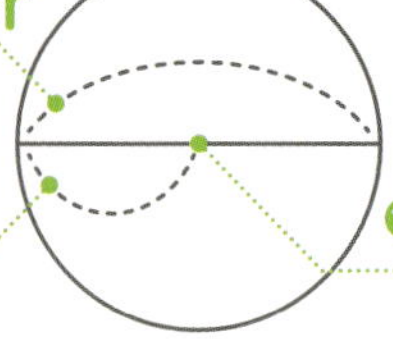

⑫ ダイアミタァ **diameter** 直径(ちょっけい)

⑬ レイディアス **radius** 半径(はんけい)

⑭ センタァ **center** 中心(ちゅうしん)

⑮ インタヂァ **integer** 整数(せいすう)

⑯ フラクション **fraction** 分数(ぶんすう)

⑰ デスィマル **decimal** 小数(しょうすう)

18 レングス

## Length 長さ

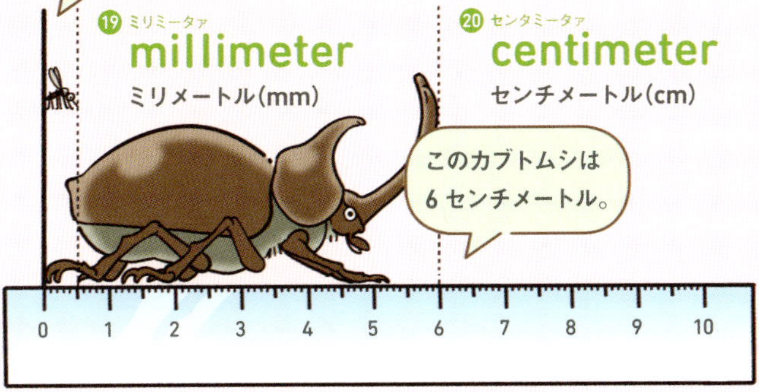

この力は5ミリメートル。
このカブトムシは6センチメートル。
0 1 2 3 4 5 6 7 8 9 10

19 ミリミータァ
**millimeter**
ミリメートル(mm)

20 センタミータァ
**centimeter**
センチメートル(cm)

🇺🇸 アメリカではちがう長さの単位を使います。

21 インチ
**inch** インチ
(1インチ＝2.54cm)

22 フット　フィート
**foot / feet** フィート
(1フィート＝30.48cm)

23 ヤード
**yard** ヤード
(1ヤード＝91.44cm)

24 マイル
**mile** マイル
(1マイル＝1.609km)

25 ミータァ
**meter**
メートル(m)

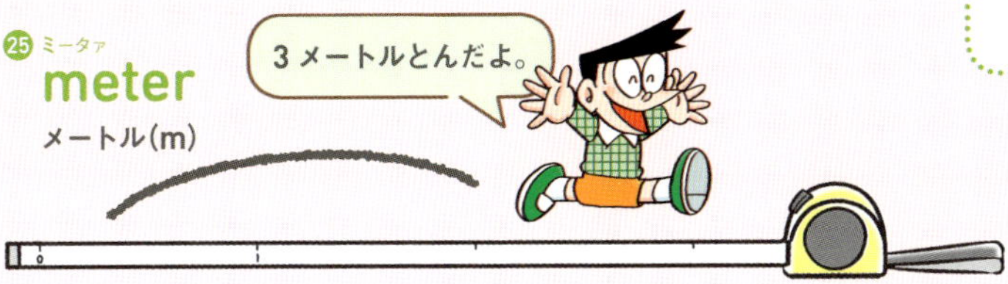

3メートルとんだよ。

26 キラメタァ
**kilometer**
キロメートル(km)

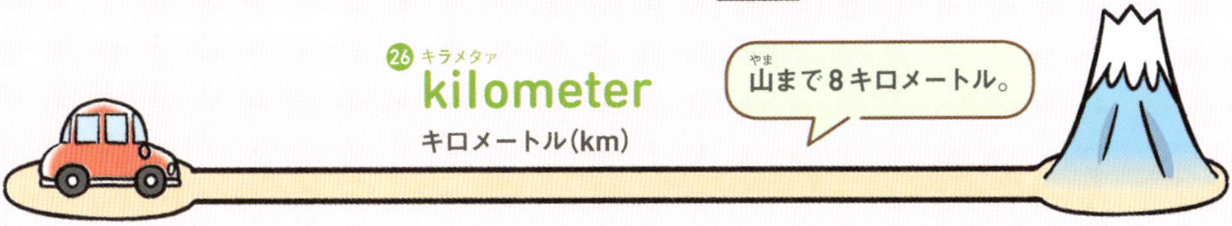

山まで8キロメートル。

27 ウェイト

## Weight 重さ

3キログラム。

600グラム。

28 キラグラム
**kilogram**
キログラム(kg)

29 グラム
**gram**
グラム(g)

30 アイム ※ センタミータァズ トール
**I'm 129.3 centimeters tall.**
アィ ウェィ ※ キラグラムズ
**I weigh 129.3 kilograms.**
ぼくは身長129.3センチ。体重は129.3キロ。

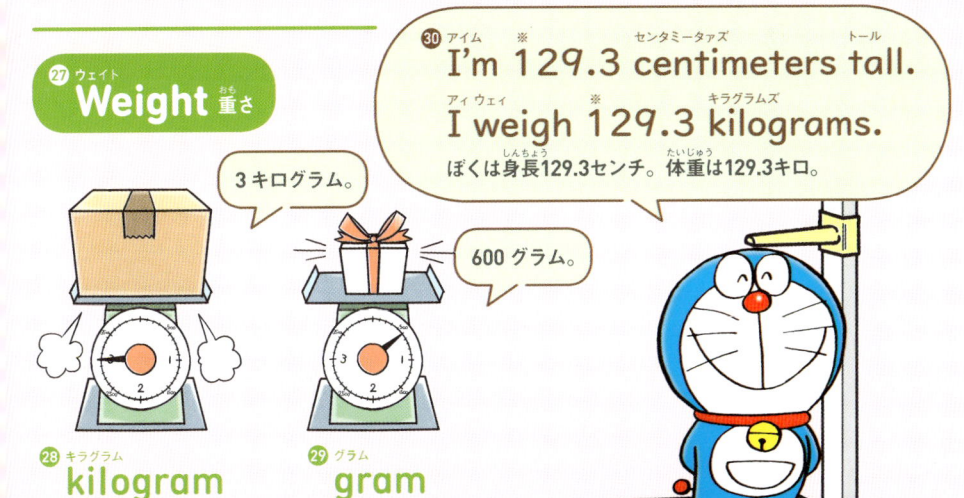

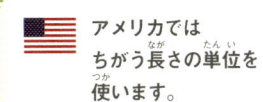

※ワン ハンドゥラッド トゥウェンティナイン ポイント スリー

# サイアンス ルーム
# Science Room 理科室

1 アー ユー オウケィ
Are you OK?
だいじょうぶ？

3 マイクラスコウプ
**microscope**
けんび鏡

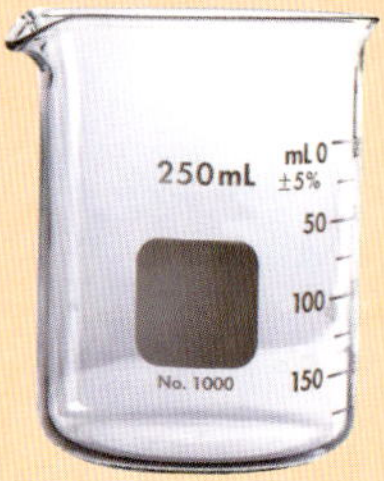

4 ビーカァ
**beaker**
ビーカー

5 マグナファイイング グラス
**magnifying glass**
虫眼鏡

6 ドゥライ バタリィ
**dry battery**
かん電池

7 ミニアチャァ バルブ
**miniature bulb**
豆電球

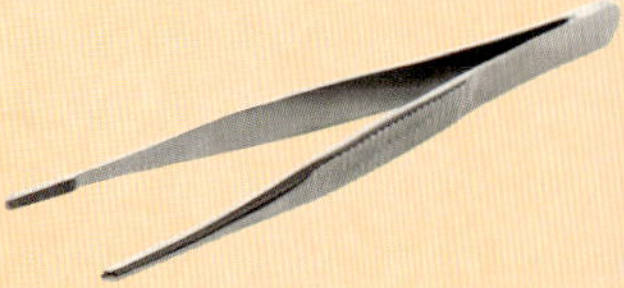

8 スケイル
**scale**
はかり

9 ウェイト
**weight**
重り

10 トゥウィーザァズ
**tweezers**
ピンセット

2 イェス ズィス イクスペラマント イズ ファン
Yes. This experiment is fun!
うん。実験(じっけん)は楽(たの)しいよ！

11 フレイム
**flame**
炎(ほのお)

12 アルカホール ランプ
**alcohol lamp**
アルコールランプ

13 スケルタン
**skeleton**
骨格標本(こっかくひょうほん)

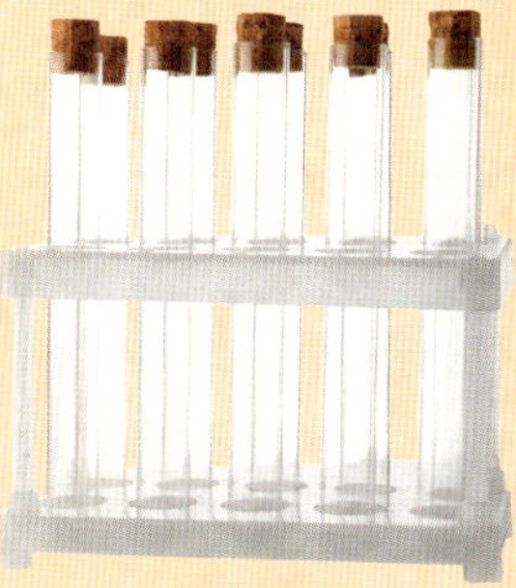

14 ドゥラッパァ
**dropper**
スポイト

15 マグニット
**magnet**
磁石(じしゃく)

16 テスト トゥーブ
**test tube**
試験管(しけんかん)

17 テレスコウプ
**telescope**
望遠鏡(ぼうえんきょう)

18 (ホ)ワット キャン アィ スィー
What can I see?
何(なに)が見(み)えるかな？

# Gym（ジム） 体育館（たいいくかん）

CD 1-32

1. This is easy.（ズィス イズ イーズィ）
   簡単（かんたん）よ。
2. gym suit（ヂム スート）
   体操服（たいそうふく）
3. red-and-white gym cap（レッド アンド ホワイト ヂム キャップ）
   紅白帽子（こうはくぼうし）
4. I did it!（アィ ディド イット）
   やったぞ！
5. balance beam（バランス ビーム）
   平均台（へいきんだい）
6. mat（マット）
   マット

## いろいろな動（うご）き

12. jump（ヂャンプ）
    ジャンプする

13. run（ラン）
    走（はし）る

14. walk（ウォーク）
    歩（ある）く

15. handstand（ハンドスタンド）
    逆立（さかだ）ち

16. skip（スキップ）
    スキップ

7 ウォール バーズ
**wall bars**
ろく木

8 バックボード
**backboard**
バックボード

9 バスキット
**basket**
バスケット

10 ヴォールト
**vault**
とび箱

11 スプリングボード
**springboard**
ふみ切り台

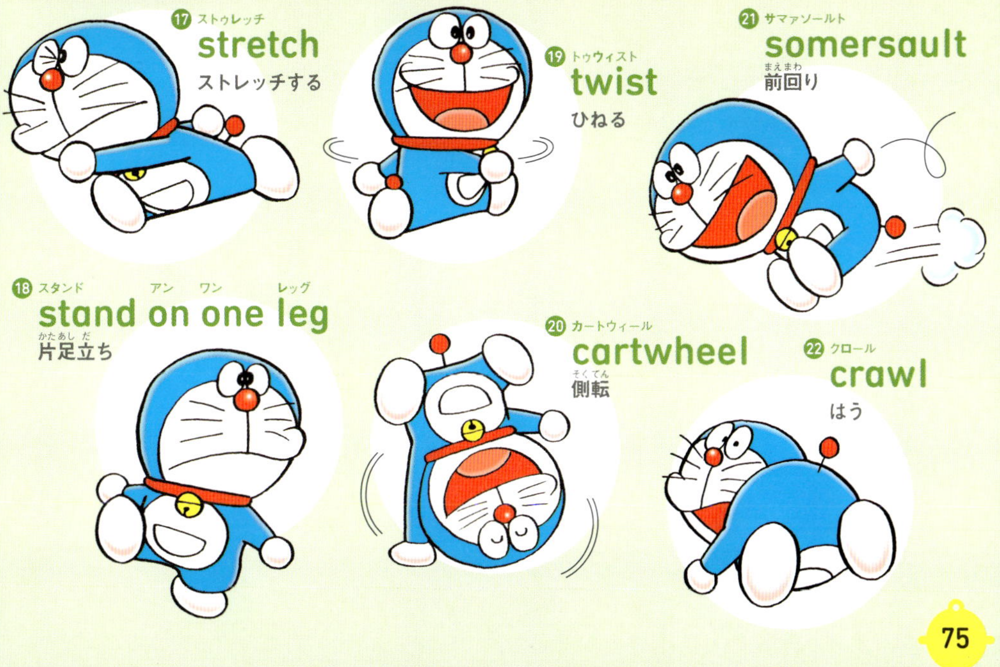

17 ストゥレッチ
**stretch**
ストレッチする

18 スタンド アン ワン レッグ
**stand on one leg**
片足立ち

19 トゥウィスト
**twist**
ひねる

20 カートウィール
**cartwheel**
側転

21 サマァソールト
**somersault**
前回り

22 クロール
**crawl**
はう

# City / Town ❶ 町（まち）のなかで

CD 1 -33

❶ レッツ フライ オウヴァ ズィス タウン
**Let's fly over this town.**
町の上を飛ぼう。

❷ バンク
**bank**
銀行

❸ ムーヴィ スィーアタァ
**movie theater**
映画館

❹ ライブレリィ
**library**
図書館

❺ レスタラント
**restaurant**
レストラン

❻ ポウスト オーフィス
**post office**
郵便局

❼ パリース ステイション
**police station**
警察署

❽ ミューズィーアム
**museum**
美術館、博物館

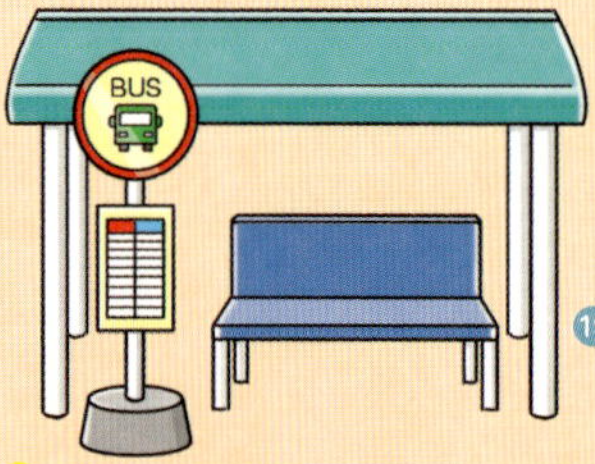


⑲ バス スタップ
**bus stop**
バス停

⑳ メイルバックス
**mailbox**
郵便ポスト

9 ディパートゥマント ストァ
**department store**
デパート

10 ファイア ステイション
**fire station**
しょうぼうしょ
消防署

11 ハスピトゥル
**hospital**
びょういん
病院

12 パリース バックス
**police box**
こうばん
交番

13 スーパァマーキット
**supermarket**
スーパーマーケット

14 クロースィング
**crossing**
こうさてん
交差点

15 バーバァシャップ
**barbershop**
や
とこ屋

16 パーク
**park**
こうえん
公園

17 カンヴィーニャンス ストァ
**convenience store**
コンビニエンスストア

18 ブックストァ
**bookstore**
ほんや
本屋

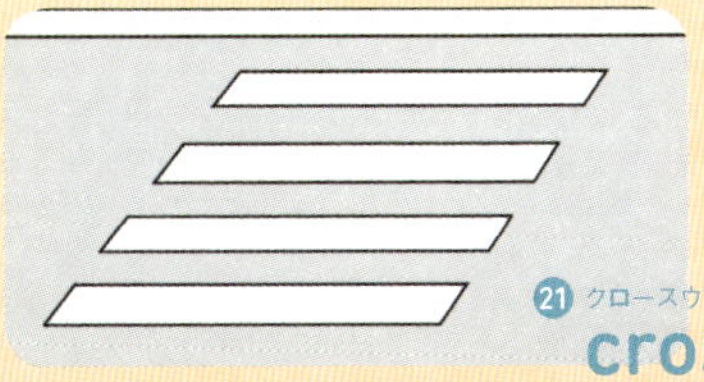

21 クロースウォーク
**crosswalk**
おうだんほどう
横断歩道

22 トゥラフィック ライト
**traffic light**
しんごう
信号

# City（スィティ） / Town（タウン） ② 町（まち）のなかで

CD 1-34

① station（ステイション） 駅（えき）

② city hall（スィティ ホール） 市役所（しやくしょ）

③ hotel（ホウテル） ホテル

④ building（ビルディング） ビル

⑤ flower shop（フラウァ シャップ） 花屋（はなや）

⑥ parking lot（パーキング ラット） ちゅう車場（しゃじょう）

⑦ pharmacy（ファーマスィ） 薬局（やっきょく）

⑧ beauty shop（ビューティ シャップ） 美容院（びよういん）

⑯ road（ロウド） 道路（どうろ）

⑰ guardrail（ガードゥレイル） ガードレール

9 (ホ)ウェア イズ ザ ベイカリィ
**Where is the bakery?**
パン屋さんはどこかな？

10 イッツ ニア ザ ビューティ シャップ
**It's near the beauty shop.**
美容院のそばだよ。

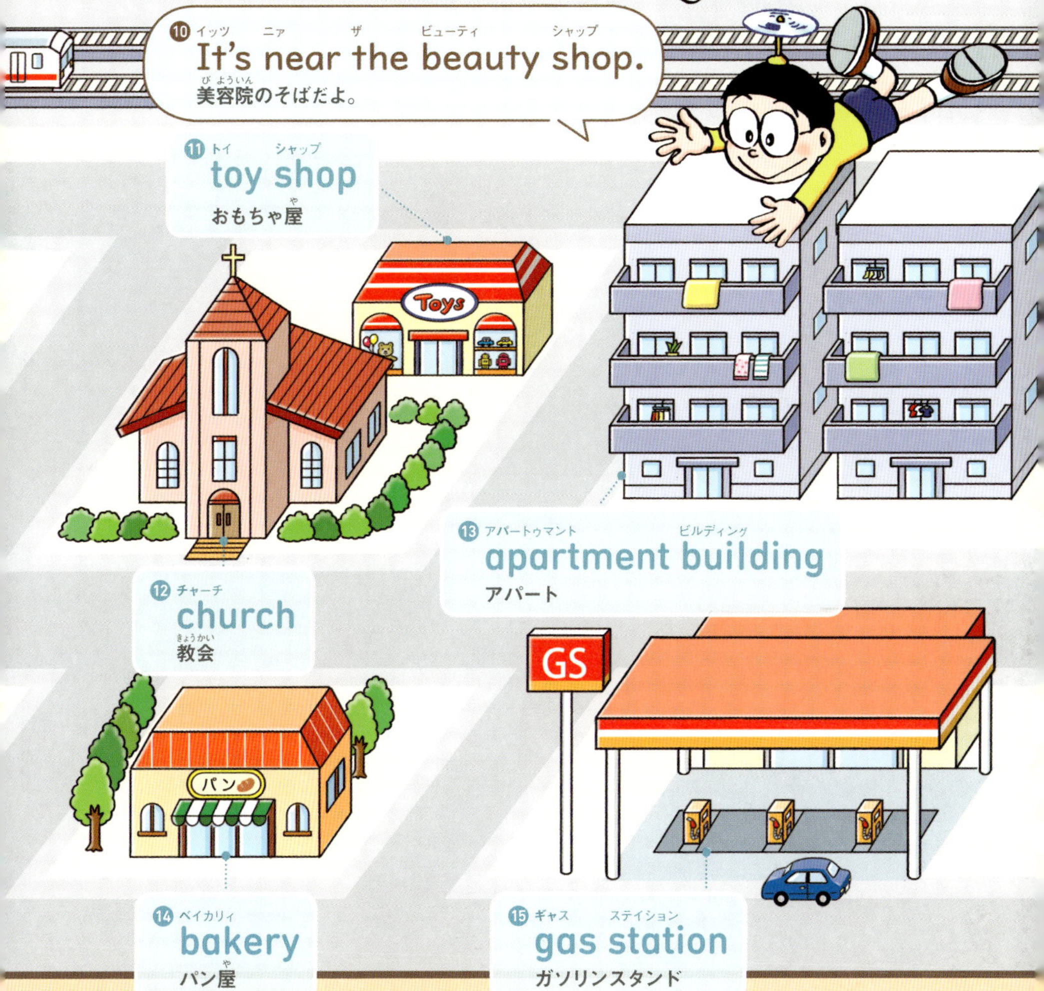


11 トイ シャップ
**toy shop**
おもちゃ屋

12 チャーチ
**church**
教会

13 アパートゥマント ビルディング
**apartment building**
アパート

14 ベイカリィ
**bakery**
パン屋

15 ギャス ステイション
**gas station**
ガソリンスタンド

18 レイルロウド クロースィング
**railroad crossing**
ふみ切り

19 ヴェンディング マシーン
**vending machine**
自動はん売機

# City / Town ③ 町のなかで

CD 1 -35

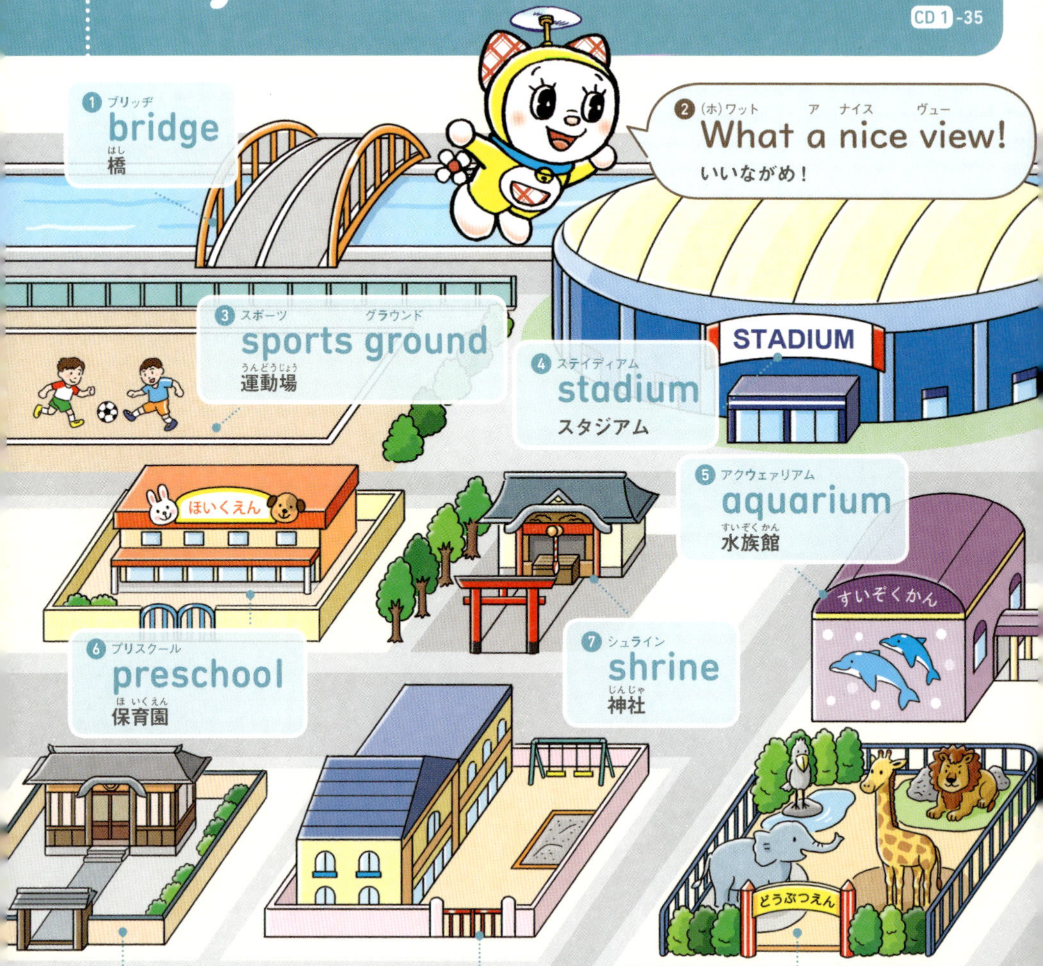


① ブリッヂ **bridge** 橋

② (ホ)ワット ア ナイス ヴュー **What a nice view!** いいながめ！

③ スポーツ グラウンド **sports ground** 運動場

④ ステイディアム **stadium** スタジアム

⑤ アクウェァリアム **aquarium** 水族館

⑥ プリスクール **preschool** 保育園

⑦ シュライン **shrine** 神社

⑧ テンプル **temple** 寺

⑨ キンダァガートゥン **kindergarten** 幼稚園

⑩ ズー **zoo** 動物園

## ⑰ サインズ Signs 標識

アメリカの標識だよ。
日本のものと比べてみてね。

⑱ スタップ **Stop** 止まれ

⑲ ワン ウェイ **One Way** 一方通行

⑳ レストゥルーム **Restroom** （公共の建物の）トイレ

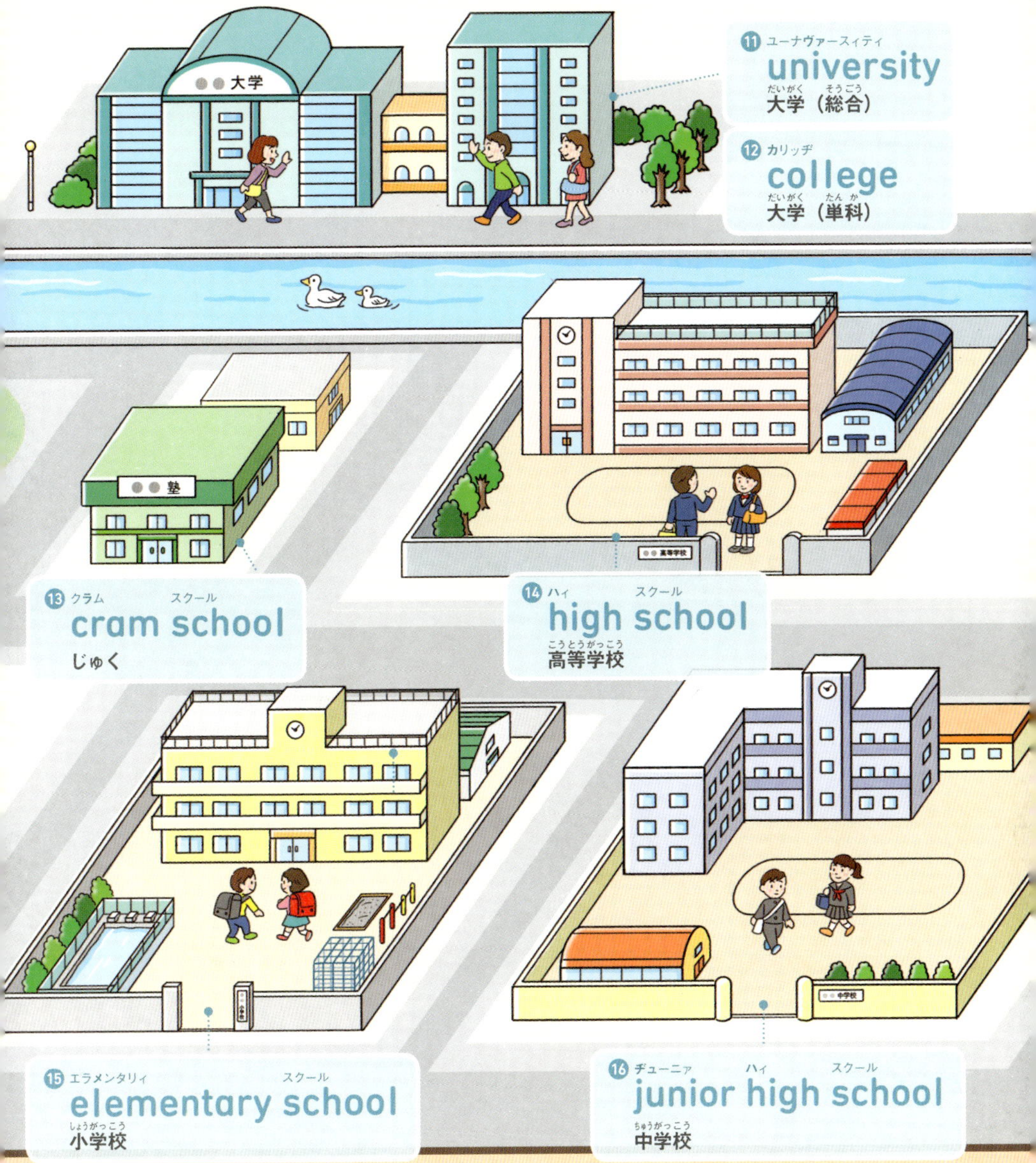


⑪ ユーナヴァースィティ
**university**
大学（総合）

⑫ カリッヂ
**college**
大学（単科）

⑬ クラム スクール
**cram school**
じゅく

⑭ ハイ スクール
**high school**
高等学校

⑮ エラメンタリィ スクール
**elementary school**
小学校

⑯ ヂューニァ ハイ スクール
**junior high school**
中学校

㉑ エグズィット
**Exit**
出口

㉒ ユー キャン スィー ズィーズ サインズ イン ザ ユーエス
**You can see these signs in the U.S.**
アメリカで見られる標識だよ。

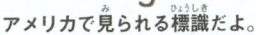

トゥランスパァテイション

# Transportation 乗り物

❷ アィ ワント トゥ ゲット アン ザ モウタァサイクル
I want to get on the motorcycle.
オートバイに乗ってみたいな。

❶ ズィス レッド カー
This red car
ゴウズ ファスト
goes fast.
この赤い車、走るのが速いわ。

❸ カー
**car**
じどうしゃ
自動車

❹ バス
**bus**
バス

❺ アンビュランス
**ambulance**
きゅうきゅうしゃ
救急車

❻ タクスィ
**taxi**
タクシー

❼ カー キャリア
**car carrier**
キャリアカー

❽ ガービッヂ トゥラック
**garbage truck**
しゅうしゅうしゃ
ごみ収集車

❾ ブルドウザァ
**bulldozer**
ブルドーザー

❿ エクスカヴェイタァ
**excavator**
ショベルカー

11 マノウレイル
**monorail**
モノレール

12 トゥレイン
**train**
電車

13 パリース カー
**police car**
パトロールカー

14 ファイァ エンヂン
**fire engine**
消防車

15 トゥラック
**truck**
トラック

16 タンカァ
**tanker**
タンクローリー

17 メイル トゥラック
**mail truck**
郵便車

18 モウタァサイクル
**motorcycle**
オートバイ

19 サブウェィ
**subway**
地下鉄

21 マィ バイク イズ クール
**My bike is cool!**
ぼくの自転車、かっこいいでしょ！

20 バイク バイスィクル
**bike / bicycle**
自転車

# Ships（シップス） 船（ふね）

CD 1-37

1 submarine（サブマリーン）
せん水（すい）かん

2 cruise ship（クルーズ シップ）
大型客船（おおがたきゃくせん）

3 fishing boat（フィッシング ボウト）
漁船（ぎょせん）

4 raft（ラフト）
いかだ

5 I was on the cruise ship.（アイ ワズ アン ザ クルーズ シップ）
大型客船（おおがたきゃくせん）に乗（の）ったよ。

6 How nice!（ハウ ナイス）
I'd like to go on that ship.（アイド ライク トゥ ゴウ アン ザット シップ）
いいなあ！ わたしもあの船（ふね）に乗（の）りたいな。

7 handrail（ハンドレイル）
手（て）すり

8 water scooter（ウォータァ スクータァ）
水上（すいじょう）オートバイ

9 ライトハウス
**lighthouse**
とうだい
灯台

10 カーゴゥ シップ
**cargo ship**
かもつせん
貨物船

11 タンカァ
**tanker**
タンカー

12 ウォータァ バス
**water-bus**
すいじょう
水上バス

13 プレジャァ クルーズ
**pleasure cruise**
ゆうらんせん
遊覧船

14 カイアック
**kayak**
カヤック

15 ハーバァ
**harbor**
みなと
港

16 モゥタァボウト
**motorboat**
モーターボート

17 ボウト
**boat**
ボート

# Station 駅（えき）

ステイション

CD 1 -38

1 ルート マップ
**route map**
路線図（ろせんず）

2 パサンヂャァ
**passenger**
乗客（じょうきゃく）

3 ティキット マシーン
**ticket machine**
券売機（けんばいき）

4 プラットフォーム
**platform**
プラットフォーム

5 インファメイション
**information**
案内所（あんないじょ）

6 ティキット ゲイト
**ticket gate**
改札（かいさつ）

7 ティキット
**ticket**
きっぷ

8 レッツ ゴゥ
**Let's go!!**
さあ、行（い）こう！

9 スマート カード
**smart card**
IC（アイシー）カード

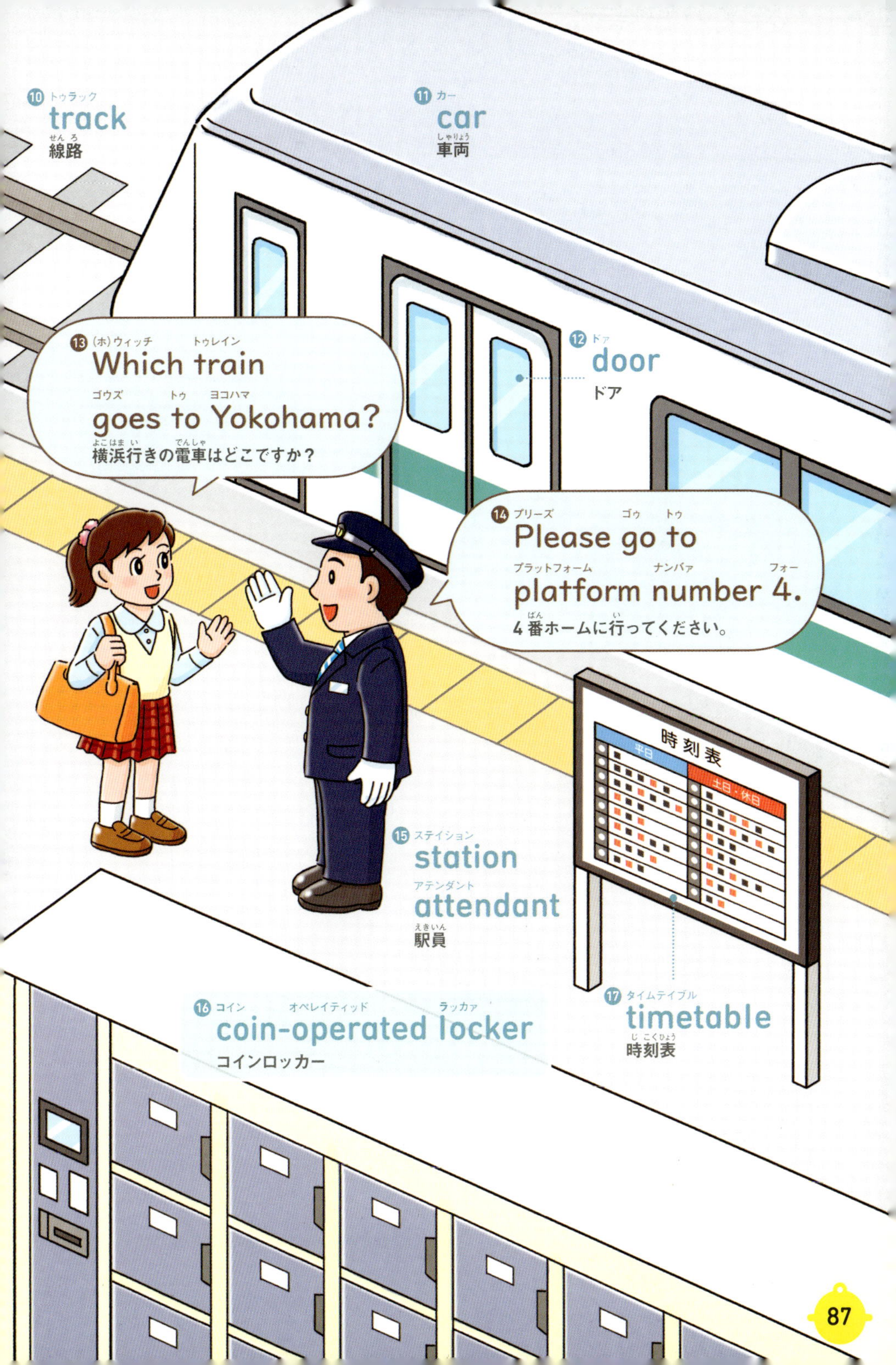
⑩ トゥラック
track
せん ろ
線路
⑪ カー
car
しゃりょう
車両
⑫ ドァ
door
ドア
⑬ (ホ)ウィッチ トゥレイン
Which train
ゴウズ トゥ ヨコハマ
goes to Yokohama?
よこはま い でんしゃ
横浜行きの電車はどこですか？
⑭ プリーズ ゴゥ トゥ
Please go to
プラットフォーム ナンバァ フォー
platform number 4.
ばん い
4番ホームに行ってください。
時刻表
平日
土日・休日
⑮ ステイション
station
アテンダント
attendant
えきいん
駅員
⑯ コイン オペレイティッド ラッカァ
coin-operated locker
コインロッカー
⑰ タイムテイブル
timetable
じ こくひょう
時刻表

**①** オール　アボード
**All aboard!**
出発進行！ しゅっぱつしんこう

**②** スィート
**seat**
座席 ざせき

**③** アンリザーブド
**unreserved seat**
自由席 じゆうせき

**④** ボウル
**pole**
手すり て

**⑫** ブリット　トゥレイン
**bullet train**
新幹線 しんかんせん

**⑬** ブレイク　カントゥロウル
**brake control**
ブレーキハンドル

**⑭** スピーダミタァ
**speedometer**
速度計 そくどけい

**⑮** パウァ　カントゥロウル
**power control**
主ハンドル しゅ

**⑯** マイ　ファーザァ　ゴウズ　トゥ
**My father goes to** ワーク　バイ　トゥレイン
**work by train.**
父は電車で通勤しています。 ちち　でんしゃ　つうきん

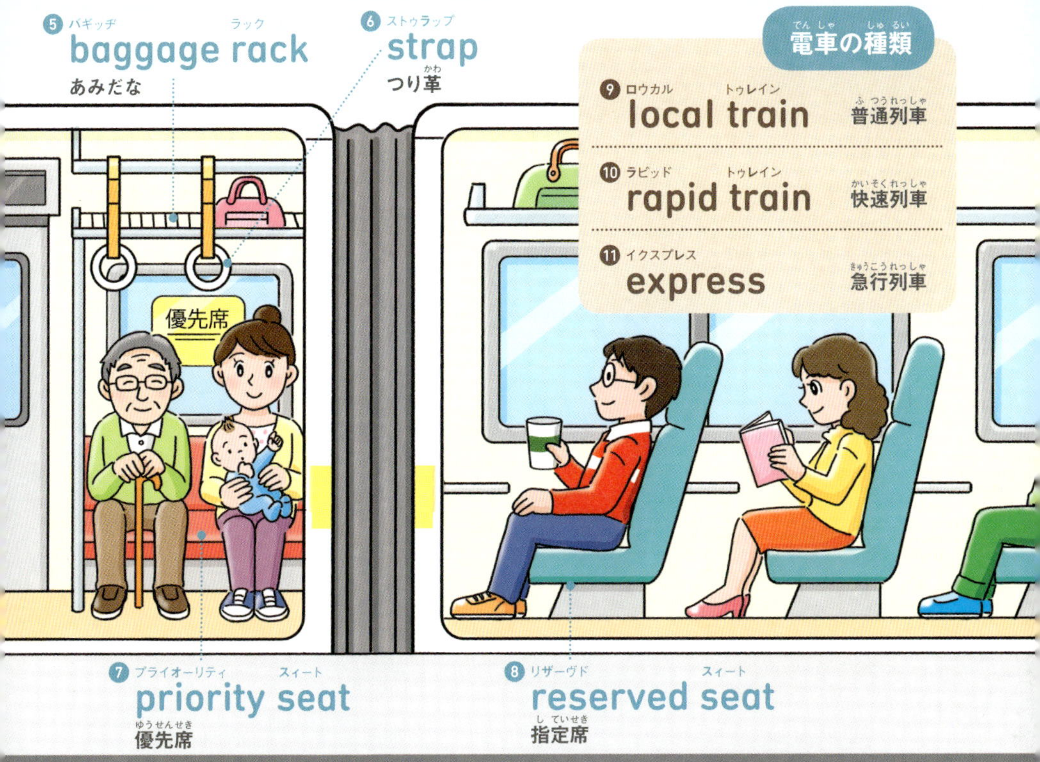
5 バギッヂ ラック
baggage rack
あみだな
6 ストゥラップ
strap
つり革
でんしゃ しゅるい
電車の種類
9 ロウカル トゥレイン
local train
ふつうれっしゃ
普通列車
10 ラピッド トゥレイン
rapid train
かいそくれっしゃ
快速列車
11 イクスプレス
express
きゅうこうれっしゃ
急行列車
優先席
7 プライオーリティ スィート
priority seat
ゆうせんせき
優先席
8 リザーヴド スィート
reserved seat
していせき
指定席

17 カンダクタァ
conductor
しゃ
車しょう
18 タヌル
tunnel
トンネル
19 セイルズパースン
salesperson
ばいいん
はん売員
20 アンボード セイルズ
onboard sales
しゃない ばい
車内はん売

# Airport 空港

CD 1-40

❶ Here is your boarding pass.
こちらが搭乗券です。

❷ Thank you.
ありがとうございます。

❸ passport
パスポート

| | | |
|---|---|---|
| ❹ | security | セキュリティ |
| ❺ | passport control | 出入国審査 |
| ❻ | customs | 税関 |
| ❼ | arrivals | 到着便 |
| ❽ | departures | 出発便 |
| ❾ | boarding gate | 搭乗口 |

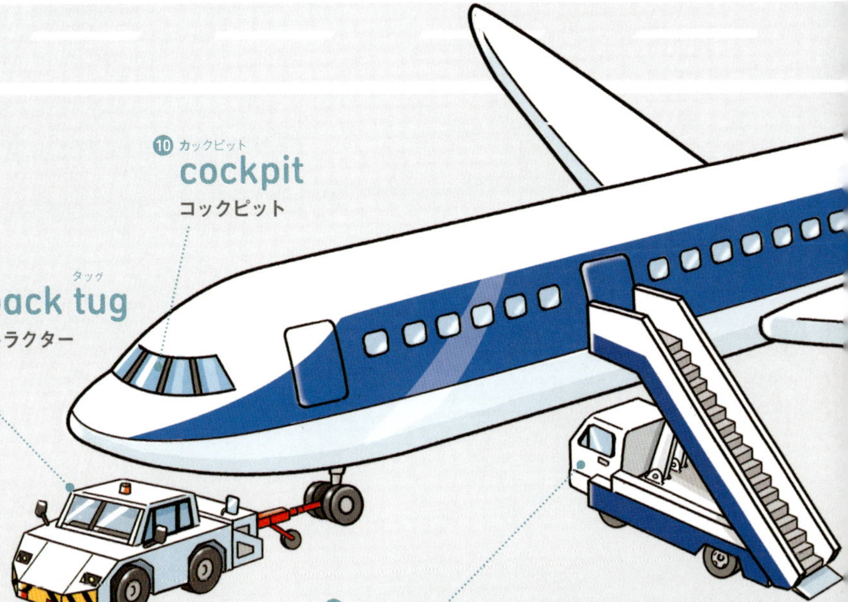

❿ cockpit
コックピット

⓫ pushback tug
トーイングトラクター

⓬ passenger boarding stairs
タラップ車

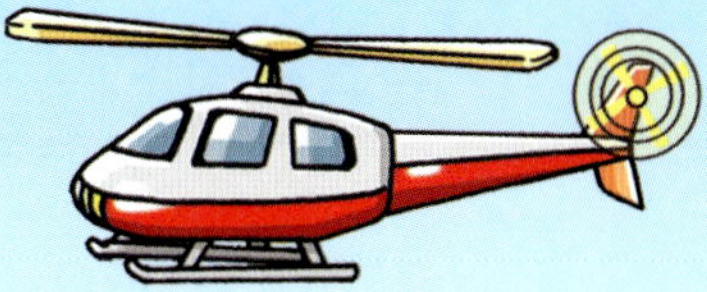

13 ヘリカプタァ
**helicopter**
ヘリコプター

14 ハット エァ バルーン
**hot air balloon**
熱気球（ねつききゅう）

15 ドゥロウン
**drone**
ドローン

16 ズィス エァポート イズ ヒューヂ
**This airport is huge!**
大（おお）きな空港（くうこう）だね！

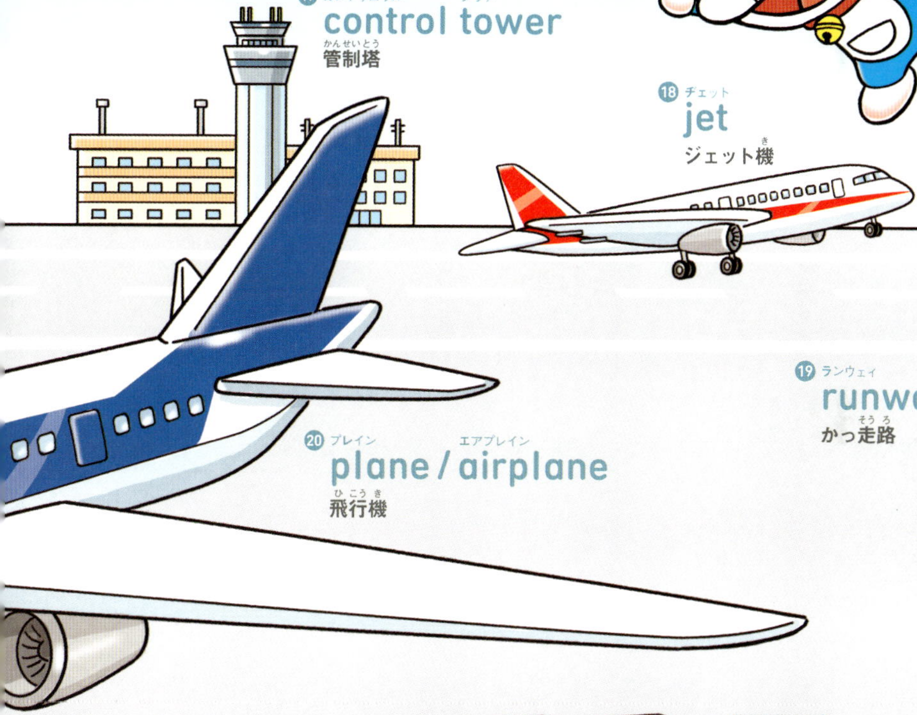

17 カントゥロウル タウァ
**control tower**
管制塔（かんせいとう）

18 チェット
**jet**
ジェット機（き）

19 ランウェィ
**runway**
かっ走路（そうろ）

20 プレイン エァプレイン
**plane / airplane**
飛行機（ひこうき）

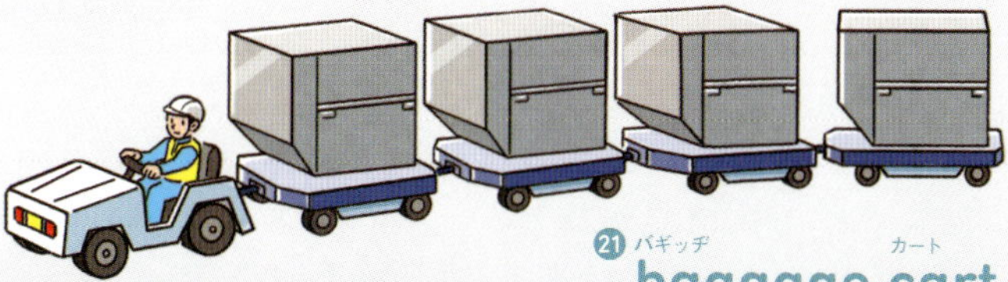

21 バギッヂ カート
**baggage cart**
タグカー

町

# Shopping 買い物

CD 1-41

1 ミート
meat
にく
肉
2 ビーフ
beef
ぎゅうにく
牛肉
3 ポーク
pork
にく
ぶた肉
4 チキン
chicken
にく
とり肉
5 セイル
sale
やすう
安売り
6 チェックアウト カウンタァ
checkout counter
レジ
7 イッツ スリーサウザンド イェン イン トウトゥル
It's 3,000 yen in total.
ぜんぶ えん
全部で3000円になります。
8 オウケイ
OK.
はい。
¥3000.
Corn Flakes
9 シャッピング バスキット
shopping basket
か もの
買い物かご
16 プラスティック バッグ
plastic bag
レジぶくろ

⑰ ビル
**bill**
紙へい

⑱ コイン
**coin**
こう貨

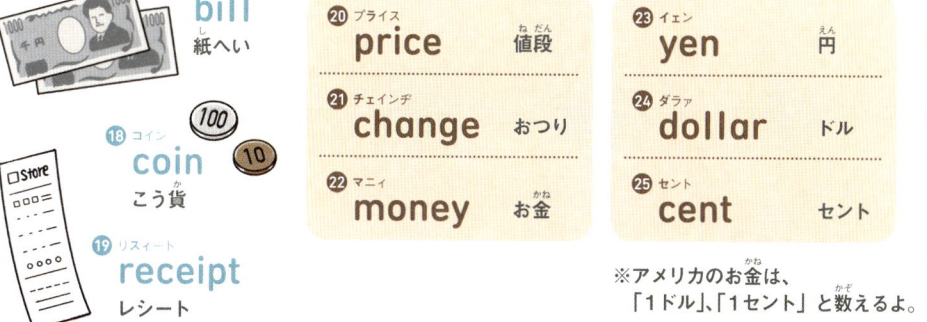

⑲ リスィート
**receipt**
レシート

| | |
|---|---|
| ⑳ プライス **price** | 値段 |
| ㉑ チェインヂ **change** | おつり |
| ㉒ マニィ **money** | お金 |

| | |
|---|---|
| ㉓ イェン **yen** | 円 |
| ㉔ ダラァ **dollar** | ドル |
| ㉕ セント **cent** | セント |

※アメリカのお金は、「1ドル」、「1セント」と数えるよ。

# Amusement Park 遊園地

CD 1-42

1 haunted house
おばけ屋しき
2 roller coaster
ジェットコースター
Haunted house
3 Let's get in this line.
この列にならぼう。
Souvenirs
4 teacups
ティーカップ
5 souvenir shop
おみやげ店
8 I want to ride the roller coaster.
ジェットコースターに乗りたいな。
7 balloo
風船
6 mascot
マスコット
9 That's a good idea.
いい考えだね。

10 フェリス ホウィール
Ferris wheel
かんらんしゃ
観覧車
11 キャスル
castle
しろ
城
Cotton Candy
12 チュロウ
churro
チュロス
13 カットゥン キャンディ
cotton candy
わた
綿がし
14 クラウン
clown
ピエロ
15 メリィ ゴウ ラウンド
merry-go-round
メリーゴーラウンド
16 パレイド
parade
パレード
17 ゴウカート
go-cart
ゴーカート

# Jobs ❶ 職業

CD 1 -43

❶ (ホ)ワット ドゥ ユー ワント トゥ ビィ
What do you want to be?
何になりたいの？

❷ アィワント トゥ ビィ アン アストゥラノート
I want to be an astronaut.
宇宙飛行士になりたいな。

❸ バス ドゥライヴァ
**bus driver**
バスの運転手

❹ パイラット
**pilot**
パイロット

❺ フライト アテンダント
**flight attendant**
客室乗務員

❻ カー ミキャニック
**car mechanic**
車の整備士

❼ ダクタァ
**doctor**
医師

❽ ナース
**nurse**
看護師

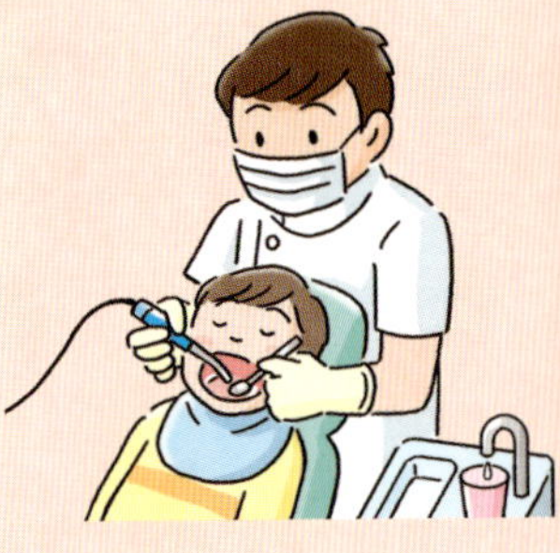

❾ デンティスト
**dentist**
歯科医

⑩ タクスィ　ドゥライヴァ
**taxi driver**
うんてんしゅ
タクシーの運転手

⑪ トゥレイン　ドゥライヴァ
**train driver**
でんしゃ　うんてんし
電車の運転士

⑫ カーペンタァ
**carpenter**
だいく
大工

⑬ オーフィス　ワーカァ
**office worker**
かいしゃいん
会社員

⑭ エンヂニア
**engineer**
ぎし
技師

⑮ ペインタァ
**painter**
がか
画家

⑯ クック
**cook**
コック

⑰ ヴェット
**vet**
い
じゅう医

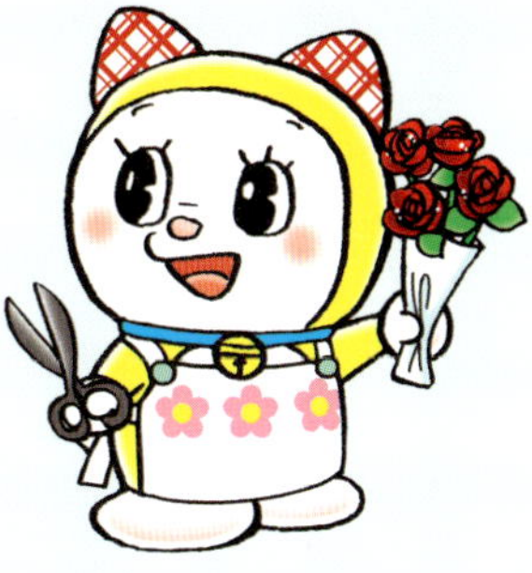

⑱ フローリスト
**florist**
はなや
花屋

# チャブズ Jobs ② 職業（しょくぎょう）

CD 1 -44

② (ホ)ワッツ ザ マタァ
**What's the matter?**
どうしたの？

① パリース オーフィサァ
**police officer**
警察官（けいさつかん）

③ アイム ロースト
**I'm lost.**
迷子（まいご）になっちゃった。

④ ファイァファイタァ
**firefighter**
消防士（しょうぼうし）

⑤ ヘァドゥレッサァ
**hairdresser**
美容師（びようし）

⑥ ファタグラファ
**photographer**
カメラマン

⑦ アクタァ
**actor**
俳優（はいゆう）

⑧ アーティスト
**artist**
芸術家（げいじゅつか）

⑨ ベイカァ
**baker**
パン屋（や）

⑩ ウェイタァ
**waiter**
ウエイター

⑪ プロウグラマァ
**programmer**
プログラマー

⑫ サッカァ　プレイァ
**soccer player**
サッカー選手

⑬ ベイスボール　プレイァ
**baseball player**
野球選手

⑭ ロイァ
**lawyer**
弁護士

⑮ ナヴァリスト
**novelist**
小説家

⑯ ミューズィシャン
**musician**
音楽家

⑰ ピアニスト
**pianist**
ピアニスト

⑱ ヴァイアリニスト
**violinist**
バイオリニスト

⑲ ズーキーパァ
**zookeeper**
動物園の飼育員

# チャブズ Jobs ③ 職業（しょくぎょう）

CD 1-45

① スィンガァ
**singer**
歌手（かしゅ）

② カミーディアン
**comedian**
コメディアン

③ ヴォイス アクタァ
**voice actor**
声優（せいゆう）

④ マデゥル
**model**
モデル

⑤ ファッション ディザイナァ
**fashion designer**
ファッションデザイナー

⑥ サイアンティスト
**scientist**
科学者（かがくしゃ）

⑦ アドゥヴェンチャラァ
**adventurer**
冒険家（ぼうけんか）

⑧ ファーマァ
**farmer**
農家（のうか）の人（ひと）

⑨ フィッシャァマン
**fisherman**
漁師（りょうし）

⑩ ペイストゥリィ シェフ
pastry chef
パティシエ

⑫ アィワント トゥ
I want to
ビィ ア カートゥーニスト
be a cartoonist.
まんが家（か）になりたいな。

⑪ カートゥーニスト
cartoonist
まんが家（か）

⑯ アィ ライク ダンスィング
I like dancing!
おどるの大好（だいす）き！

⑬ ティーチャァ
teacher
教師（きょうし）

⑭ プリスクール
preschool
ティーチャァ
teacher
保育士（ほいくし）

⑮ ダンサァ
dancer
ダンサー

⑰ パリティシャン
politician
政治家（せいじか）

⑲ アィワッチ ヌーズ
I watch news
アン ティーヴィー エヴリィ デイ
on TV every day.
毎日（まいにち）テレビでニュースを見（み）るよ。

⑱ ヌーズキャスタァ アンカァ
newscaster / anchor
ニュースキャスター

# Animals ① 動物

① ライナサラス
**rhinoceros**
さい

② ラクーン
**raccoon**
あらいぐま

③ ズィーブラ
**zebra**
しまうま

④ タイガァ
**tiger**
とら

⑤ パンダ
**panda**
パンダ

⑥ ガリラ
**gorilla**
ゴリラ

⑦ ワウ ルック アット オール ズィ アニマルズ
**Wow, look at all the animals!**
わあ、動物がたくさん！

⑧ スネイク
**snake**
へび

⑨ ヂラフ
**giraffe**
きりん

⑩ ヤック
**yak**
ヤク

⑪ マンキィ
**monkey**
さる

⑫ イーク イーク
**eek, eek**
キーキー

13 ポウラァ ベァ
**polar bear**
ほっきょくぐま

14 チャグワー
**jaguar**
ジャガー

15 スロース
**sloth**
なまけもの

16 エラファント
**elephant**
ぞう

17 チータ
**cheetah**
チーター

18 イグワーナ
**iguana**
イグアナ

19 アルパカ
**alpaca**
アルパカ

20 ライアン
**lion**
ライオン

21 ロァ
**roar**
ガオー

22 キャマル
**camel**
らくだ

23 オーラングァタン
**orangutan**
オランウータン

24 キャパベラ
**capybara**
カピバラ

25 コウアーラ
**koala**
コアラ

26 キャンガルー
**kangaroo**
カンガルー

27 ヒパパタマス
**hippopotamus**
かば

# アニマルズ Animals ❷ どうぶつ 動物

CD 1-47

① ディア
**deer**
しか

② スクワーラル
**squirrel**
りす

③ ゴウト
**goat**
やぎ

④ ダンキィ
**donkey**
ろば

⑤ ワイルド ボァ
**wild boar**
いのしし

⑥ ファックス
**fox**
きつね

⑦ ラクーン ドーグ
**raccoon dog**
たぬき

⑧ ウルフ
**wolf**
おおかみ

⑨ ベァ
**bear**
くま

⑩ ドーグ
**dog**
いぬ

⑪ バウワウ
**bowwow**
ワンワン

⑫ キャット
**cat**
ねこ

⑬ ミアウ ミアウ
**meow, meow**
ニャーニャー

14 バット
**bat**
こうもり

15 フライイング スクワーラル
**flying squirrel**
ももんが

16 ピッグ
**pig**
ぶた

17 オインク オインク
**oink, oink**
ブーブー

18 ホース
**horse**
うま

19 ネイ
**neigh**
ヒヒーン

20 モウル
**mole**
もぐら

21 リザァド
**lizard**
とかげ

22 マウス
**mouse**
ねずみ

23 ラビット
**rabbit**
うさぎ

24 アックス
**ox**
おうし

25 ハムスタァ
**hamster**
ハムスター

26 カウ
**cow**
めうし

27 ムー ムー
**moo, moo**
モーモー

28 シープ
**sheep**
ひつじ

29 バー バー
**baa, baa**
メエメエ

30 アイ ハヴ ア ペット ラビット
**I have a pet rabbit.**
ペットのうさぎを飼っているのよ。

# Water Animals ①

ウォータァ　アニマルズ

水の生き物

CD 1 -48

① スターフィッシュ
**starfish**
ひとで

② スィー　エインヂャル
**sea angel**
クリオネ

③ クラブ
**crab**
かに

④ ダルフィン
**dolphin**
いるか

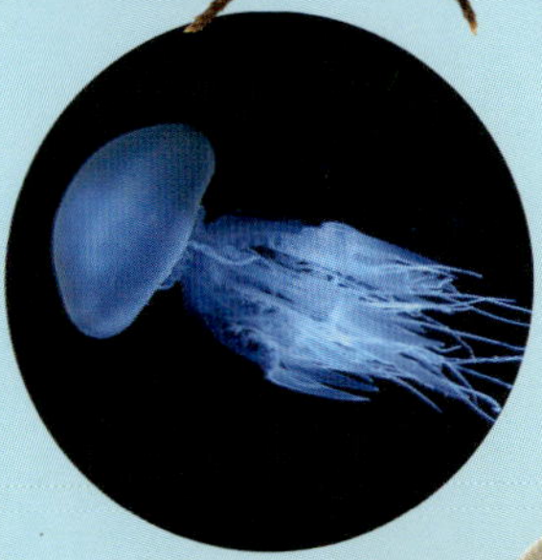

⑤ ヂェリィフィッシュ
**jellyfish**
くらげ

⑥ スィール
**seal**
あざらし

⑦ (ホ)ウィッチ　ワン　ドゥ　ユー　ライク　ザ　ベスト
**Which one do you like the best?**
どれがいちばん好き？

⑧ トゥーナ
**tuna**
まぐろ

⑨ ハーミット　クラブ
**hermit crab**
やどかり

⑩ シェルフィッシュ
**shellfish**
貝

⑪ ウォールラス
**walrus**
せいうち

⑫ アクタパス
**octopus**
たこ

13 マンタ レィ
**manta ray**
マンタ

14 キラァ ホウェイル
**killer whale**
しゃち

15 サンフィッシュ
**sunfish**
まんぼう

16 ラブスタァ
**lobster**
えび

17 スィーホース
**seahorse**
たつのおとしご

18 スクウィッド
**squid**
いか

19 クラウンフィッシュ
**clownfish**
かくれくまのみ

21 レッツ ハヴ ア ルック
**Let's have a look.**
見てみよう。

20 スパティド ガードゥン イール
**spotted garden eel**
ちんあなご

22 ホウェイル
**whale**
くじら

# Water Animals ❷（ウォータァ アニマルズ）
水の生き物（みずのいきもの）

❶ プラティパス
**platypus**
かものはし

❷ キャットフィッシュ
**catfish**
なまず

❸ ゴウルドフィッシュ
**goldfish**
きんぎょ

❹ ペングウィン
**penguin**
ペンギン

❺ ビーヴァ
**beaver**
ビーバー

❻ アクサラトゥル
**axolotl**
アホロートル

❼ アィ ラヴ ウォッチング フィッシュ
I love watching fish.
魚を見るのが大好き。

⑨ グレイト サラマンダァ
**great salamander**
おおさんしょううお

⑩ ヂァパニーズ キリフィッシュ
**Japanese killifish**
めだか

⑪ エインヂャルフィッシュ
**angelfish**
エンゼルフィッシュ

⑫ クレイフィッシュ
**crayfish**
ざりがに

⑬ カープ
**carp**
こい

⑭ クラカダイル
**crocodile**
わに

⑮ タッドゥポウル
**tadpole**
おたまじゃくし

⑯ ヌート
**newt**
いもり

⑧ ミー トゥー
**Me, too.**
ぼくも。

⑱ フラッグ
**frog**
かえる

⑰ タートゥル
**turtle**
かめ

# Birds ① 鳥

CD 1 -50

1 ビーク **beak** くちばし

2 ウィング **wing** つばさ

3 ネスト **nest** 巣

4 スワロウ **swallow** つばめ

5 カネァリィ **canary** カナリア

6 パラキート **parakeet** いんこ

7 スパロウ **sparrow** すずめ

8 チック **chick** ひよこ

9 ピープ ピープ **peep, peep** ピーピー

10 チキン **chicken** にわとり

11 ヘン **hen** めんどり

12 クラック クラック **cluck, cluck** コッコッ

13 ルースタァ **rooster** おんどり

14 カッカドゥードゥルドゥー **cock-a-doodle-doo** コケコッコー

15 ピヂャン **pigeon** はと

16 クー クー **coo, coo** クークー

17 クレイン
**crane**
つる

18 ブッシュ ウォーブラァ
**bush warbler**
うぐいす

22 アィ アム フライィング
**I am flying**
ウィズ ザ バーヅ
**with the birds.**
鳥(とり)といっしょに飛(と)んでるよ。

19 クウェイル
**quail**
うずら

21 クワック クワック
**quack, quack**
ガーガー

20 ダック
**duck**
あひる

23 クロウ
**crow**
からす

24 スワン
**swan**
はくちょう

25 スパット ビルド ダック
**spot-billed duck**
かるがも

26 ダックリング
**duckling**
かるがもの子(こ)

27 フェズント
**pheasant**
きじ

28 クークー
**cuckoo**
かっこう

# Birds ② 鳥（とり）

バーヅ

CD 1 -51

1 ハミングバード
**hummingbird**
はちどり

2 フリゲイトバード
**frigatebird**
ぐんかんどり

3 ターミガン
**ptarmigan**
らいちょう

4 ピーカック
**peacock**
くじゃく

5 ザ ピーカック
**The peacock**
イズ ビュータフル
**is beautiful.**
くじゃくがきれいだね。

6 イッツ トール
**It's tall!**
背（せ）が高（たか）い！

7 オーストゥリッチ
**ostrich**
だちょう

8 トゥーキャン
**toucan**
おおはし

9 アウル
**owl**
ふくろう

10 ホーク
**hawk**
たか

11 ガル
**gull**
かもめ

12 ラビン
**robin**
こまどり

13 ウッドペッカァ
**woodpecker**
きつつき

15 イーグル
**eagle**
わし

14 パラット
**parrot**
おうむ

16 フラミンゴゥ
**flamingo**
フラミンゴ

17 イーグリット
**egret**
しらさぎ

18 ヴァルチャァ
**vulture**
はげたか

19 ペリカン
**pelican**
ペリカン

# Insects and Worms ①
虫

① ピル バッグ
**pill bug**
だんごむし

② スタッグ ビートゥル
**stag beetle**
くわがたむし

③ ビー
**bee**
はち

④ ドゥラガンフライ
**dragonfly**
とんぼ

⑤ グラスハッパァ
**grasshopper**
ばった

⑥ バタァフライ
**butterfly**
ちょう

⑦ ビートゥル
**beetle** かぶとむし

⑧ メイル
**male**
おす

⑨ フィーメイル
**female**
めす

10 ウェブ
**web**
くもの巣

12 キャタァピラァ
**caterpillar**
いもむし

13 スネイル
**snail**
かたつむり

11 スパイダァ
**spider**
くも

14 マンティス
**mantis**
かまきり

15 スィケイダ
**cicada**
せみ

17 ウォータァ ストゥライダァ
**water strider**
あめんぼ

16 アント
**ant**
あり

18 レイディバッグ
**ladybug**
てんとうむし

20 レッツ キャッチ イット
Let's catch it!
つかまえよう！
19 ア スィケイダ
A cicada!
せみだ！
G

# Insects and Worms ②

インセクツ アンド ワームズ

虫

CD 1 -53

① リーフ インセクト
**leaf insect**
このはむし

② アースワーム
**earthworm**
みみず

③ カックロウチ
**cockroach**
ごきぶり

④ ローングホーンド ビートゥル
**longhorned beetle**
かみきりむし

⑤ リスン トゥ ズィ インセクツ
**Listen to the insects.**
虫の声を聞いて。

⑥ ベル クリキット
**bell cricket**
すずむし

⑦ クリキット
**cricket**
こおろぎ

8 ドウント バイト ミー
**Don't bite me!**
さささないで！

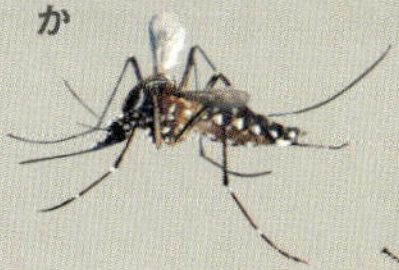

9 マスキートウ
**mosquito**
か

10 ティック
**tick**
だに

11 フライ
**fly**
はえ

12 スコーピアン
**scorpion**
さそり

13 モース
**moth**
が

14 ファイァフライ
**firefly**
ほたる

16 スキャラブ ビートゥル
**scarab beetle**
こがねむし

15 ヂューアル ビートゥル
**jewel beetle**
たまむし

17 スィルクワーム
**silkworm**
かいこ

ダイナソァズ
# Dinosaurs きょうりゅう

CD 1 -54

2 スパイナソーラス
**spinosaurus**
スピノサウルス

1 タラナソーラス
**tyrannosaurus**
ティラノサウルス

3 ヴァラサラプタァ
**velociraptor**
ヴェロキラプトル

4 アラソーラス
**allosaurus**
アロサウルス

5 ステガソーラス
**stegosaurus**
ステゴサウルス

6 ルック ザ ダイナソァ イズ ヒューヂ
Look! The dinosaur is huge!
見て！きょうりゅう、大きいな！

7 モゥサソーラス
**mosasaurus**
モササウルス

8 テラナドン
**pteranodon**
プテラノドン

10 アーキーアプタリクス
**archaeopteryx**
しそちょう

11 パラソーララファス
**parasaurolophus**
パラサウロロフス

12 トゥライセラタプス
**triceratops**
トリケラトプス

13 パキセファラソーラス
**pachycephalosaurus**
パキケファロサウルス

14 ブレイキーアソーラス
**brachiosaurus**
ブラキオサウルス

※ モササウルスとプテラノドンはきょうりゅうではありませんが、同じ時代に生きていた親せきということで取り上げました。

# Clothes（クロウズ） 服（ふく）

CD 2 -1

① Do I look cute?（ドゥ アィ ルック キュート）
かわいいかな？

② dress（ドゥレス）
ワンピース

③ coat（コウト）
コート

④ T-shirt（ティーシャート）
T（ティー）シャツ

⑤ sweater（スウェタァ）
セーター

⑥ blouse（ブラウス）
ブラウス

⑦ skirt（スカート）
スカート

⑧ socks（サックス）
くつ下（した）

⑨ You look nice!（ユー ルック ナイス）
すてきよ！

⑩ hat（ハット）
（ふちのある）帽子（ぼうし）

⑪ cap（キャップ）
（ふちなしの）帽子（ぼうし）

⑫ jeans（ヂーンズ）
ジーンズ

⑬ pants（パンツ）
ズボン

⑭ Sizes（サイズィーズ） サイズ

⑮ small size（スモール サイズ）
エスサイズ

⑯ medium size（ミーディアム サイズ）
エムサイズ

⑰ large size（ラーヂ サイズ）
エルサイズ

18 ユーナフォーム
**uniform**
制服

19 ヂャキット
**jacket**
上着

20 スート
**suit**
スーツ

21 スウェットゥシャート
**sweatshirt**
トレーナー

22 ハングァ
**hanger**
ハンガー

25 アィ ガット ドゥレスト
**I got dressed.**
服を着たよ。

26 パケット
**pocket**
ポケット

27 シャート
**shirt**
シャツ

28 ショーツ
**shorts**
半ズボン

23 ヴェスト
**vest**
ベスト

24 フッディ
**hoody**
パーカー

29 アンダァウェア
**underwear** 下着

30 アンダァシャート
**undershirt**
はだ着

31 アンダァパンツ
**underpants**
パンツ

32 パヂャーマズ
**pajamas**
パジャマ

33 フォウルド ユァ パヂャーマズ
**Fold your pajamas.**
パジャマをたたんでね。

# Accessories and Shoes

（アクセサリィズ アンド シューズ）

## 身（み）につけるもの　～アクセサリーとくつ～

CD 2-2

❶ I'm going to a party!（アイム ゴウイング トゥ ア パーティ）
パーティーに行（い）くの！

❷ hairpin（ヘァピン）
ヘアピン

❸ earrings（イァリングス）
イヤリング

❹ necklace（ネックリス）
ネックレス

❺ bracelet（ブレイスリット）
ブレスレット

❻ ribbon（リバン）
リボン

❼ bag（バッグ）
バッグ

❽ boots（ブーツ）
ブーツ

❾ You look cool, Shizuka!（ユー ルック クール シズカ）
しずかちゃん、すてきだね！

⑩ スカーフ
**scarf**
マフラー

⑪ グラヴス
**gloves**
手(て)ぶくろ

⑫ ネックタイ
**necktie**
ネクタイ

⑬ ミトゥンズ
**mittens**
ミトン

⑭ ベルト
**belt**
ベルト

⑮ バックパック
**backpack**
リュックサック

⑯ ルック アット マィ
**Look at my**
ネックタイ
**necktie!**
このネクタイ、見(み)て！

⑰ グラスィズ
**glasses**
眼鏡(めがね)

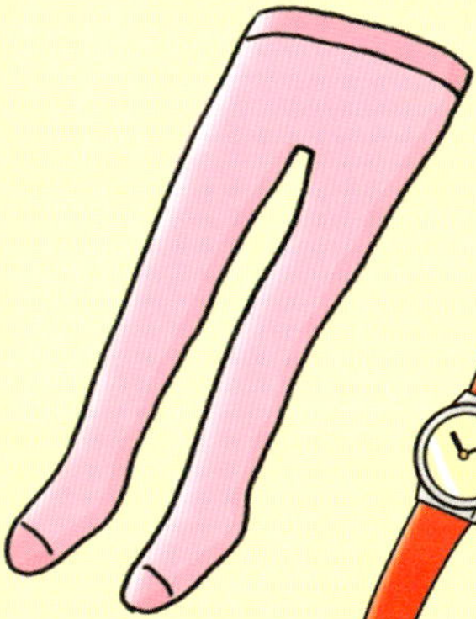

⑱ タイツ
**tights**
タイツ

⑲ ワッチ
**watch**
うで時計(どけい)

⑳ リング
**ring**
指輪(ゆびわ)

## ㉑ シューズ Shoes くつ

㉒ レザァ シューズ
**leather shoes**
革(かわ)ぐつ

㉓ スニーカァズ
**sneakers**
スニーカー

㉔ サンドゥルズ
**sandals**
サンダル

# Cooking クッキング

CD 2-3

❶ I can cook curry and rice.
（アイ キャン クック カーリィ アンド ライス）
カレーライスを作れるよ。

❷ cut（カット）
切る

❸ kitchen knife（キッチン ナイフ）
包丁

❹ cutting board（カッティング ボード）
まな板

❺ fry（フライ）
いためる

❻ frying pan（フライング パン）
フライパン

⓯ boil（ボイル）
ゆでる

⓱ steam（スティーム）
蒸す

⓳ mix（ミックス）
混ぜる

⓴ mash（マッシュ）
すりつぶす

⓰ grill（グリル）
（あみで）焼く

⓲ deep-fry（ディープ フライ）
あげる

㉑ heat（ヒート）
温める

⑨ レイドゥル
**ladle**
お玉

⑩ スパチュラ
**spatula**
フライ返し

⑪ ホウィスク
**whisk**
あわ立て器

⑫ ピーラァ
**peeler**
皮むき器

⑦ スィマァ
**simmer**
にこむ

⑧ パット
**pot**
(深い)なべ

⑬ イット テイスツ グッド
**It tastes good!**
いい味！

⑭ タリフィック
**Terrific!**
最高！

---

⑫ チャップ
**chop**
細かく切る

⑳ スライス
**slice**
うすく切る

㉖ スター
**stir**
かき混ぜる

㉗ フリーズ
**freeze**
冷とうする

㉓ ベイク
**bake**
(オーブンで)焼く

㉕ ピール
**peel**
皮をむく

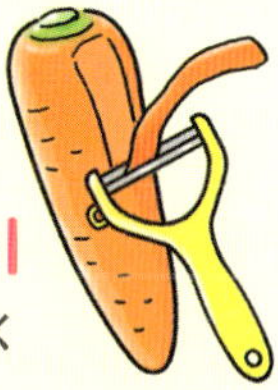

㉘ ホウィップ
**whip**
あわ立てる

# スィーズニングズ Seasonings 調味料



❶ パス ミー ザ ソィ ソース
Pass me the soy sauce.
おしょうゆをとって。

❷ ミーソゥ
**miso**
みそ

❸ ケチャップ
**ketchup**
ケチャップ

❹ ソールト
**salt**
塩

❺ ペッパァ
**pepper**
こしょう

❻ オイル
**oil**
油

## ⓮ テイスツ Tastes 味

⓯ イッツ ヤミィ
It's yummy.
おいしい。

⓰ イッツ ビタァ
It's bitter.
苦い。

⓱ イッツ スウィート
It's sweet.
甘い。

7 ウスターシャー ソース
**Worcestershire sauce**
ソース

8 シュガァ
**sugar**
砂糖（さとう）

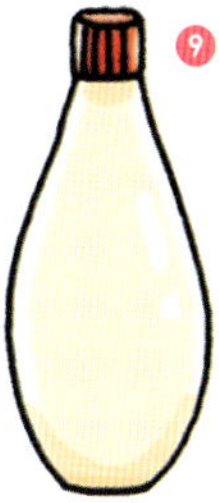

9 メイアネイズ
**mayonnaise**
マヨネーズ

10 ドゥレスィング
**dressing**
ドレッシング

13 ヒァ ユー アー
**Here you are.**
はいどうぞ。

11 ヴィニガァ
**vinegar**
す

12 ソィ ソース
**soy sauce**
しょうゆ

19 イッツ サウァ
**It's sour.**
すっぱい。

20 イッツ スパイスィ
**It's spicy.**
スパイスがきいている。

18 イッツ ソールティ
**It's salty.**
しょっぱい。

21 イッツ ハット
**It's hot.**
からい。

# Housework 家事

ハウスワーク

## ① Cleaning そうじ

クリーニング

② レッツ クリーン ザ ハウス
**Let's clean the house!**
家をそうじしよう！

③ ヴァキュアム
**vacuum**
そうじ機をかける

④ ヴァキュアム クリーナァ
**vacuum cleaner**
そうじ機

⑤ アイム スウィーピング ウィズ ザ ブルーム
**I'm sweeping with the broom.**
ほうきではいているよ。

⑥ ブルーム
**broom**
ほうき

⑦ ダスト
**dust**
ほこり

⑧ ダストゥパン
**dustpan**
ちりとり

⑨ クリーニング クロース
**cleaning cloth**
雑巾

⑩ バキット
**bucket**
バケツ

⑪ マップ
**mop**
モップ

⑫ アイム マッピング ザ フロァ
**I'm mopping the floor.**
床にモップをかけているよ。

## 13 Washing Dishes 皿洗い
ワッシング ディッシィズ / さらあら

## 14 Ironing アイロンがけ
アイァニング

15 アイアン
**iron**
アイロン

16 アイァニング ボード
**ironing board**
アイロン台（だい）

17 スプレィ
**spray**
スプレー

## 18 Washing 洗たく
ワッシング / せん

19 ワッシング マシーン
**washing machine**
洗たく機（せんたくき）

20 ローンドゥリィ
**laundry**
洗たく物（せんたくもの）

21 ローンドゥリィ バスキット
**laundry basket**
洗たくかご（せんたくかご）

## 22 Sewing 裁ほう
ソウイング / さい

24 スレッド
**thread**
糸（いと）

26 ニードゥル
**needle**
針（はり）

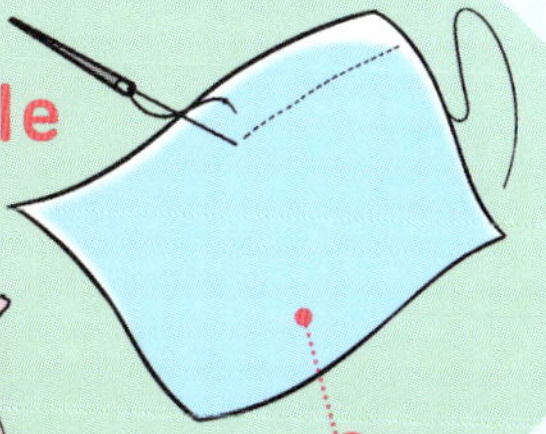

25 ヤーン
**yarn**
毛糸（けいと）

23 ソウイング マシーン
**sewing machine**
ミシン

27 クロース
**cloth**
布（ぬの）

# Hospital 病院(びょういん)

ハスピトウル

CD 2 -6

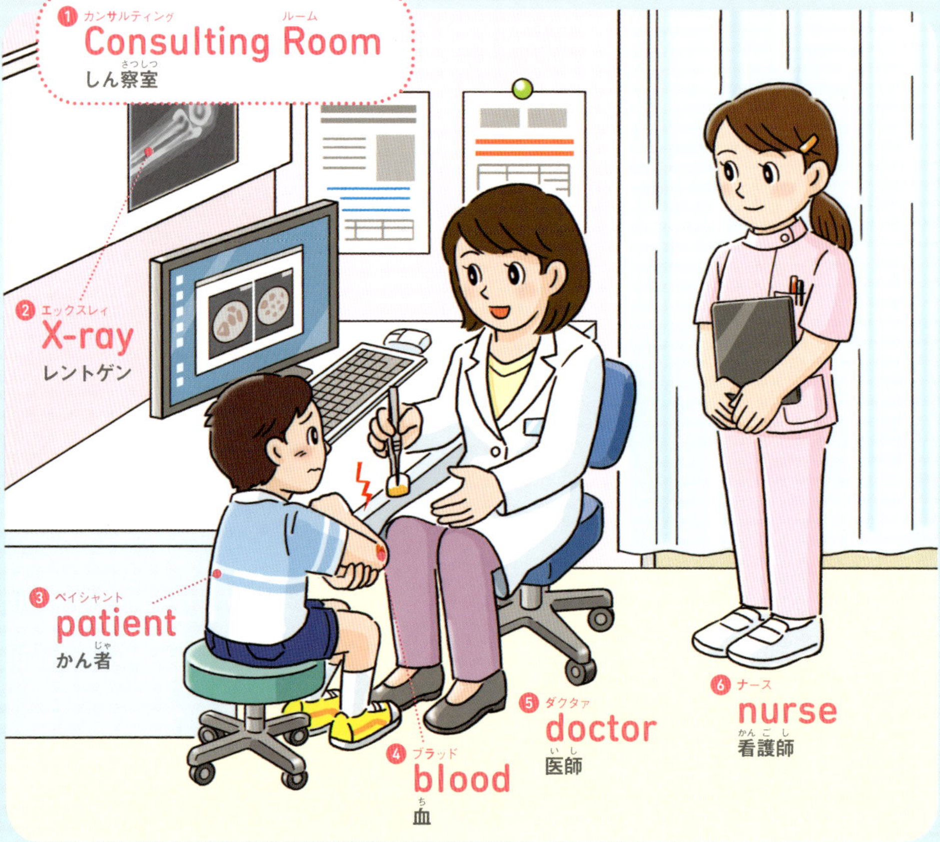

① カンサルティング ルーム
**Consulting Room**
しん察室(さつしつ)

② エックスレイ
**X-ray**
レントゲン

③ ペイシャント
**patient**
かん者(じゃ)

④ ブラッド
**blood**
血(ち)

⑤ ダクタァ
**doctor**
医師(いし)

⑥ ナース
**nurse**
看護師(かんごし)

⑦ アイ ワント トゥ スィー ア ダクタァ
**I want to see a doctor.**
しん察(さつ)を受(う)けたい。

⑧ プリーズ テイク ケア
**Please take care.**
おだいじに。

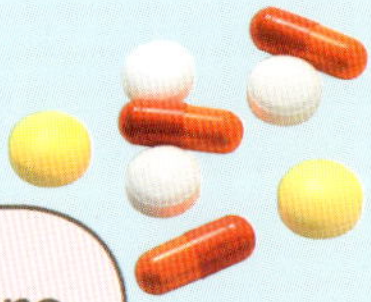

⑨ メダスィン
**medicine**
薬(くすり)

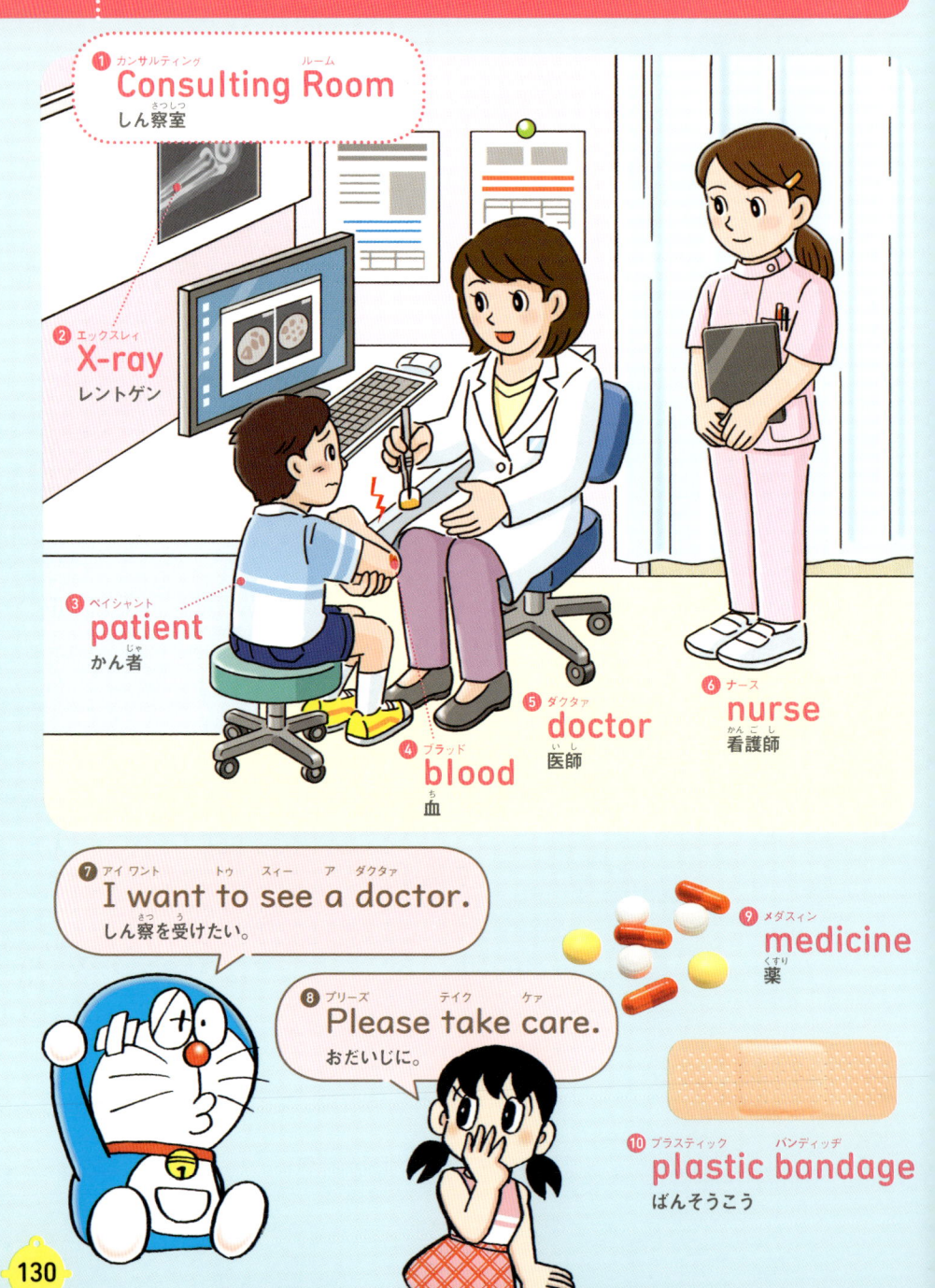

⑩ プラスティック バンディッヂ
**plastic bandage**
ばんそうこう

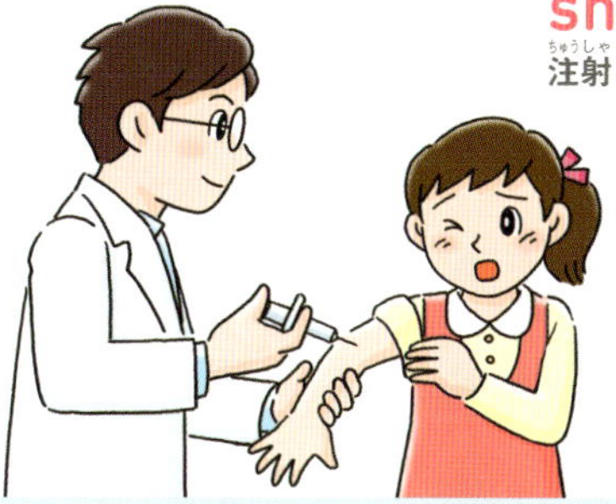

⑪ シャット
**shot**
注射（ちゅうしゃ）

⑬ ホウィールチェア
**wheelchair**
車（くるま）いす

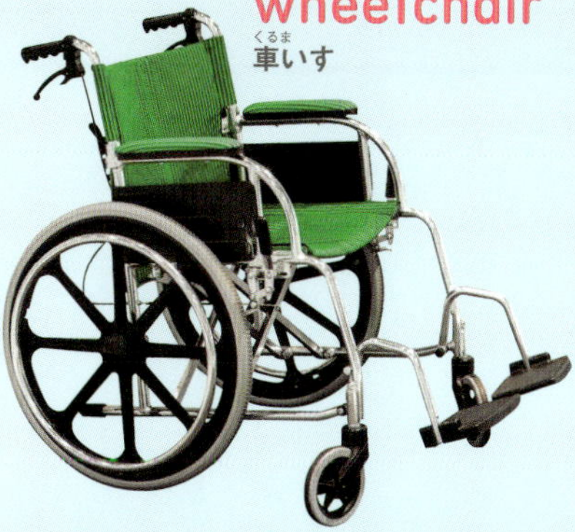

⑫ アバレイション
**operation**
手術（しゅじゅつ）

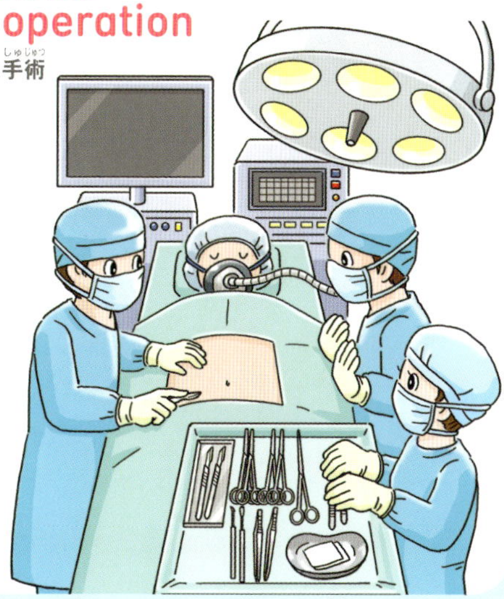

⑭ サァマミタァ
**thermometer**
体温計（たいおんけい）

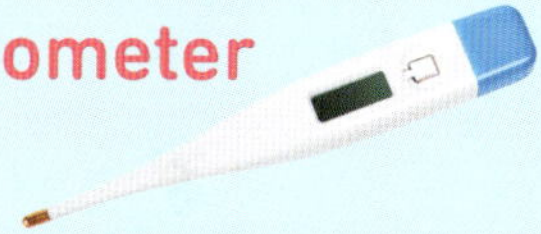

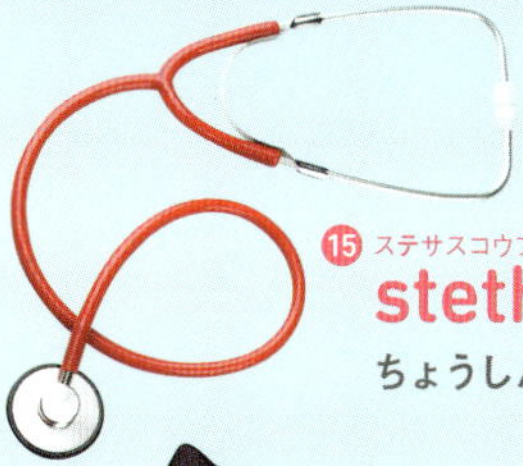

⑮ ステサスコウプ
**stethoscope**
ちょうしん器（き）

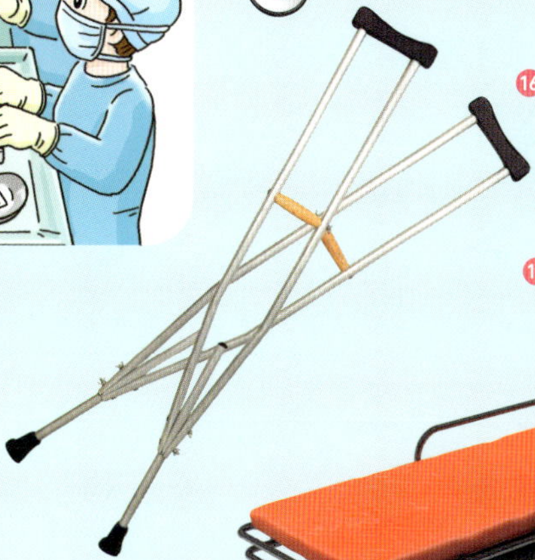

⑯ クラッチィズ
**crutches**
松葉（まつば）づえ

⑰ ストゥレッチャァ
**stretcher**
たんか

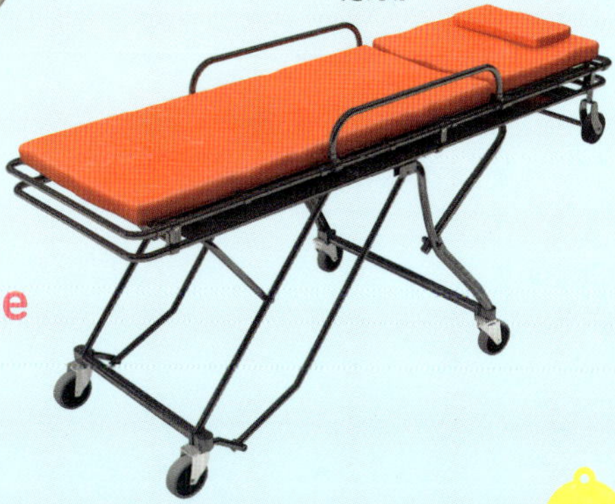



⑱ ゴーズ
**gauze**
ガーゼ

⑲ バンディッヂ
**bandage**
包帯（ほうたい）

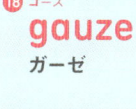

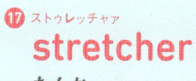

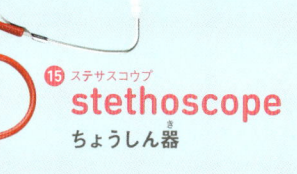

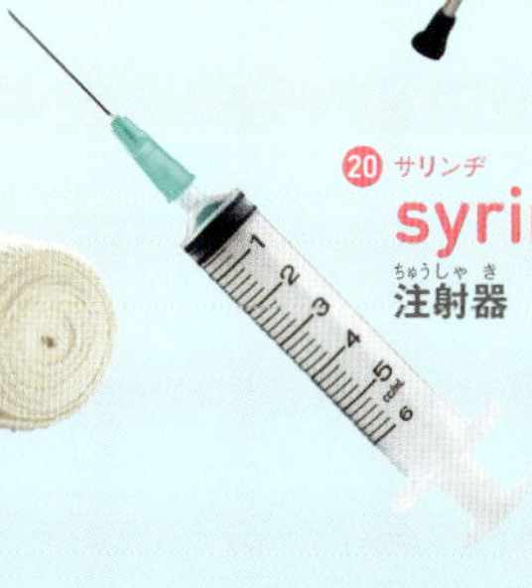

⑳ サリンヂ
**syringe**
注射器（ちゅうしゃき）

# Physical Condition
フィズィカル カンディション

## 体調

CD 2 -7

1 ユー ハヴ ザ フルー
**You have the flu.**
きみはインフルエンザだね。

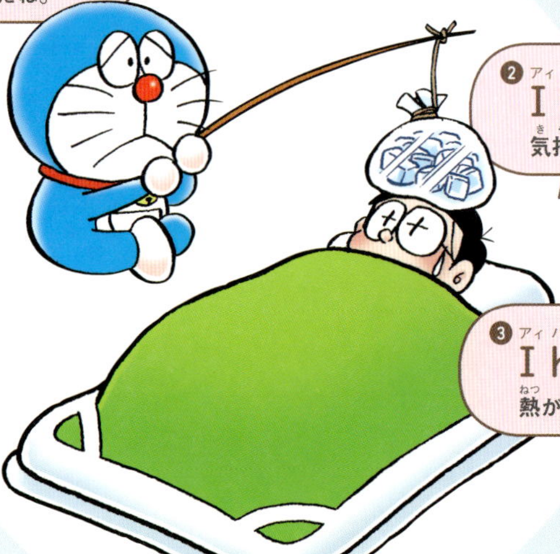

2 アィ フィール スィック
**I feel sick.**
気持ちが悪いよ。

3 アィ ハヴ ア フィーヴァ
**I have a fever.**
熱がある。

4 アィ ハヴ ア コウルド
**I have a cold.**
かぜをひいているの。

5 マィ アィズ アー イッチィ
**My eyes are itchy.**
目がかゆい。

6 アィ ハヴ ア ヘデイク
**I have a headache.**
頭が痛い。

7 アィ ハヴ ア スタマッケイク
**I have a stomachache.**
おなかが痛い。

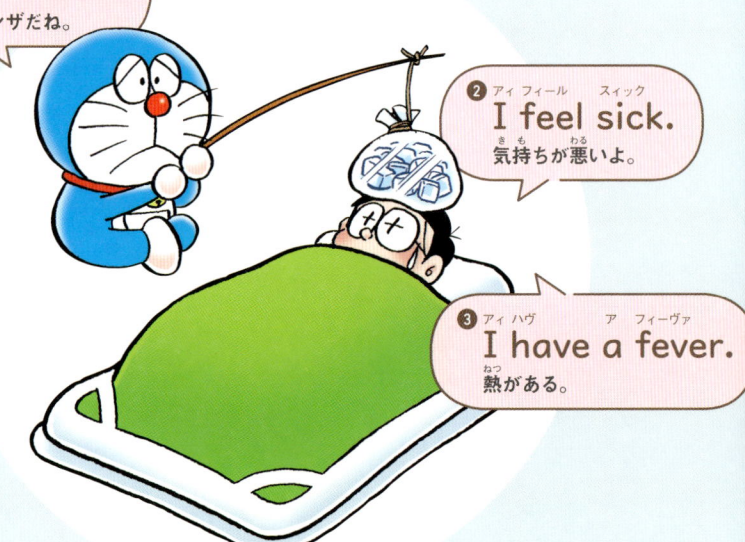

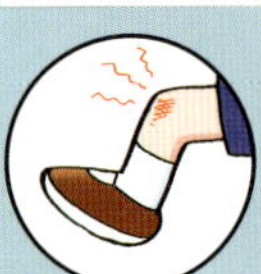

8 アィ ガット ハート
**I got hurt.**
けがをした。

⑨ ドゥ ユー ハヴ ヘィ フィーヴァ
**Do you have hay fever?**
花粉症(かふんしょう)なのかな？

⑩ アィ ハヴ ア ラニィ ノウズ
**I have a runny nose.**
鼻水(はなみず)が出(で)るよ。

⑪ アーチュー
**Achoo!**
はくしょん！

⑫ スニーズ
**sneeze**
くしゃみ

⑬ ファート
**fart**
おなら

⑭ コーフ
**cough**
せき

⑮ ヒカップ
**hiccup**
しゃっくり

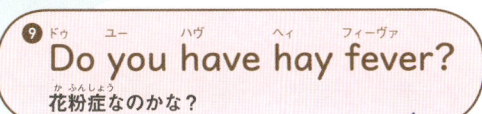

⑯ ティアズ
**tears**
涙(なみだ)

⑰ バープ
**burp**
げっぷ

⑱ スウェット
**sweat**
汗(あせ)

# Park（パーク） 公園（こうえん）

❶ jungle gym（チャングル ヂム）
ジャングルジム

❷ swing（スウィング）
ぶらんこ

❸ It's exciting!（イッツ イクサイティング）
楽(たの)しい！

❹ slide（スライド）
すべり台(だい)

❺ climbing poles（クライミング ポウルズ）
登(のぼ)り棒(ぼう)

❻ sandbox（サンドゥバックス）
砂場(すなば)

❼ monkey bars（マンキィ バーズ）
うんてい

❽ flowerbed（フラウァベッド）
花(か)だん

9 ファウンタン
**fountain**
ふんすい

10 ベンチ
**bench**
ベンチ

11 スィーソー
**seesaw**
シーソー

12 トゥライスィクル
**tricycle**
三輪車（さんりんしゃ）

13 ストゥロウラァ
**stroller**
ベビーカー

14 イット ルックス ディリシャス
It looks delicious!
おいしそう！

15 ズィス ライス ボール イズ ビッグ
This rice ball is big!
このおにぎり大（おお）きいな！

16 ズィス ピクニック イズ ファン
This picnic is fun.
ピクニック楽（たの）しいね。

17 ライス ボール
**rice ball**
おにぎり

18 ピクニック シート
**picnic sheet**
レジャーシート

19 ランチ バックス
**lunch box**
弁当箱（べんとうばこ）

20 ウォータァ バトゥル
**water bottle**
水（すい）とう

# Toys（トィズ） おもちゃ

CD 2-9

1 チャック
**jack**
ジャック

2 クウィーン
**queen**
クイーン

3 キング
**king**
キング

4 チョウカァ
**joker**
ジョーカー

5 トゥー バッド
**Too bad.**
残念（ざんねん）ね。

6 チャスト マィ ラック
**Just my luck.**
ついてないな。

7 カーヅ
**cards**
トランプ

8 スタッフト アニマル
**stuffed animal**
ぬいぐるみ

9 ダイス
**dice**
さいころ

10 ミニアチャァ カー
**miniature car**
ミニカー

11 テディ ベァ
**teddy bear**
テディベア

12 タップ
**top**
こま

13 チグソー パズル
**jigsaw puzzle**
ジグソーパズル

14 ロウバット
**robot**
ロボット

15 カイト
**kite**
たこ

16 ウォータァ ピストゥル
**water pistol**
水鉄(みずでっ)ぽう

17 レイディオ カントゥロウルド カー
**radio-controlled car**
ラジオコントロールカー

18 ヨウ ヨウ
**yo-yo**
ヨーヨー

19 クレィ
**clay**
ねん土(ど)

20 フラ フープ
**hula hoop**
フラフープ

22 ボール
**ball**
ボール

21 ヴィディオウ ゲイム
**video game**
テレビゲーム

23 シャトゥルカック
**shuttlecock**
羽根(はね)

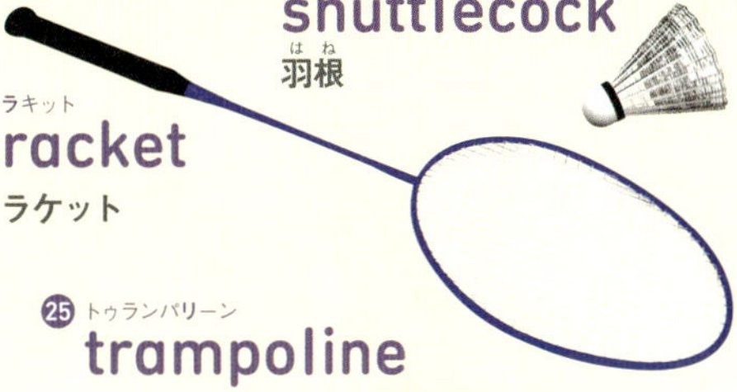

24 ラキット
**racket**
ラケット

25 トゥランパリーン
**trampoline**
トランポリン

27 ダール
**doll**
人形(にんぎょう)

26 ビルディング ブラックス
**building blocks**
つみ木(き)

# Outdoor Games 外の遊び

CD 2-10

1 タッグ
**tag**
おにごっこ

2 アィム ゴウイング トゥ キャッチ ユー
**I'm going to catch you.**
つかまえてやる。

3 ノゥ ウェイ
**No way!**
やだよ！

4 ダッヂボール
**dodgeball**
ドッジボール

12 ロウラァ スケイティング
**roller skating**
ローラースケート

13 ヂャギング
**jogging**
ジョギング

14 スケイトボーディング
**skateboarding**
スケートボード

5 アー ユー レディ
**Are you ready?**
もういいかい？

6 ナット イェット
**Not yet.**
まだだよ。

7 ハイダンスィーク
**hide-and-seek**
かくれんぼ

8 ソウプ バブルズ
**soap bubbles**
しゃぼん玉（だま）

9 ヂャンピング ロウプ
**jumping rope**
なわとび

10 ハップスカッチ
**hopscotch**
石（いし）けり

11 キャッチ
**catch**
キャッチボール

15 クライム ア トゥリー
**climb a tree**
木登（きのぼ）りをする

16 ライド ア ユーナサイクル
**ride a unicycle**
一輪車（いちりんしゃ）に乗（の）る

# Indoor Games 室内遊び

CD 2-11

① キャッツ クレイドゥル
**cat's cradle**
あやとり

③ イッツ マィ ターン
**It's my turn.**
わたしの番ね。

② チェス
**chess**
チェス

⑨ ドゥローイング
**drawing**
お絵描き

⑩ カップ アンド ボール
**cup and ball**
けん玉

⑪ リーディング
**reading**
読書

❹ レッツ ハヴ サム スナックス
**Let's have some snacks.**
おやつを食(た)べましょう。

❺ イェイ
**Yay!**
わーい！

❻ プレィイング ハウス
## playing house
おままごと

❼ ラック ペイパァ スィザァズ ワン トゥー スリー
**Rock, paper, scissors, one, two, three!**
じゃんけんぽん、いち、に、さん！

❽ ラック ペイパァ スィザァズ
## rock, paper, scissors
じゃんけん

⓬ メイズ
## maze
迷路(めいろ)

⓭ ボード ゲイム
## board game
ボードゲーム

# Old Stories 昔話

オウルド ストーリィズ / むかしばなし

CD 2-12

1 ザ ピーチ ボーイ
## The Peach Boy
ももたろう

2 ズィ インチ ハィ サマライ
## The Inch-High Samurai
一寸法師（いっすんぼうし）

3 ザ ムーン プリンスィス
## The Moon Princess
かぐやひめ

4 スノゥ ホワイト
## Snow White
白雪（しらゆき）ひめ

5 (ホ)ワット アー ユー リーディング
**What are you reading?**
何（なに）を読（よ）んでいるの？

6 ザ ピーチ ボーイ
**The Peach Boy.**
ももたろうだよ。

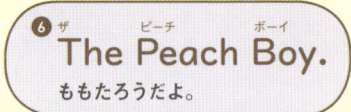

⑦ スリー リトゥル ピッグズ
## Three Little Pigs
三(さん)びきのこぶた

⑧ ザ リトゥル マッチ ガール
## The Little Match Girl
マッチ売(う)りの少女(しょうじょ)

⑨ ピノゥキオゥ
## Pinocchio
ピノキオ

⑩ ピータァ パン
## Peter Pan
ピーター・パン

⑪ リトゥル マーメイド
## Little Mermaid
人魚(にんぎょ)ひめ

⑫ スィンダレラ
## Cinderella
シンデレラ

## その他(た)

⑬ リトゥル レッド ライディング フッド
**Little Red Riding Hood** 赤(あか)ずきん

⑭ ビューティ アンド ザ ビースト
**Beauty and the Beast** 美女(びじょ)と野(や)じゅう

⑮ アリスィズ アドゥヴェンチャァズ イン ワンダァランド
**Alice's Adventures in Wonderland** 不思議(ふしぎ)の国(くに)のアリス

⑯ ザ ロウリング ライス ボール
**The Rolling Rice Ball** おむすびころりん

# Characters 物語に出てくるもの

キャリクタァズ

CD 2-13

1 フェアリィ
**fairy**
よう精

2 エインヂャル
**angel**
天使

3 キング
**king**
王さま

4 クウィーン
**queen**
女王さま

5 プリンスィス
**princess**
おひめさま

6 プリンス
**prince**
王子さま

7 パイァラット
**pirate**
海ぞく

8 ヒーロウ
**hero**
ヒーロー

10 ザ マーメイド イズ ソウ キュート
**The mermaid is so cute!**
人魚、とってもかわいいな！

9 マーメイド
**mermaid**
人魚

11 ディーマン
**demon**
おに

12 マンスタァ
**monster**
怪(かい)じゅう

13 デヴァル
**devil**
悪魔(あくま)

14 ヴァンパイァ
**vampire**
吸血鬼(きゅうけつき)

16 ブー
**Boo.**
うらめしや～

15 ゴウスト
**ghost**
ゆうれい

17 アイム スケァド
**I'm scared!**
こわいよ～！

18 ドゥラガン
**dragon**
りゅう

## その他(た)

19 ヂャイアント
**giant** 巨人(きょじん)

20 ウィッチ
**witch** 魔女(まじょ)

21 ユーナコーン
**unicorn** ユニコーン

22 ペガサス
**Pegasus** ペガサス

# ミューズィック Music ❶ 音楽

CD 2 -14

❶ コーラス
**chorus**
合唱

❷ レッツ スィング ア ソーング
**Let's sing a song!**
歌を歌おう！

❸ ハーマニカ
**harmonica**
ハーモニカ

❹ キーボード ハーマニカ
**keyboard harmonica**
けんばんハーモニカ

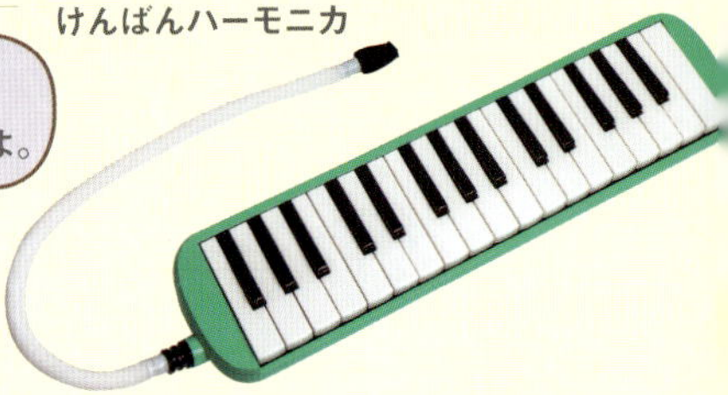

有名な作曲家をしょうかいするよ。

❺ リコーダァ
**recorder**
リコーダー

## ❻ カンポウザァズ Composers 作曲家

❼ ベイトウヴァン
**Beethoven**
ベートーヴェン
L.V. Beethoven

ドイツの作曲家。代表作は交響曲第５番「運命」。

❽ バーク
**Bach**
バッハ
J.S. Bach

ドイツの作曲家。「G線上のアリア」の旋律で有名。

❾ モウツァート
**Mozart**
モーツァルト
W.A. Mozart

オーストリアの音楽家。歌劇「フィガロの結婚」などを作曲。

❿ ショウパン
**Chopin**
ショパン
F. Chopin

ポーランドの作曲家。「幻想即興曲」などピアノ曲で有名。

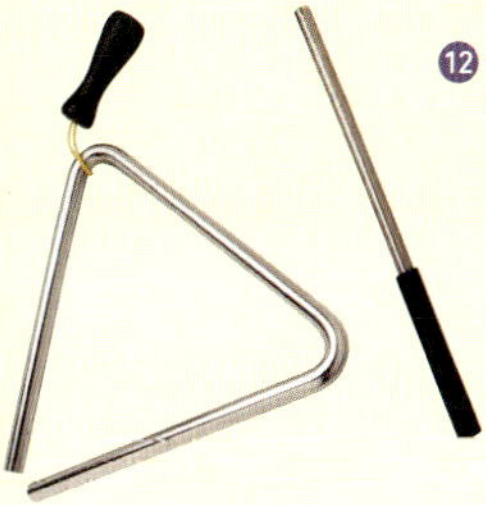

12 タンバリーン
**tambourine**
タンバリン

11 トゥライアングル
**triangle**
トライアングル

14 ティンパニ
**timpani**
ティンパニー

13 キャスタネッツ
**castanets**
カスタネット

15 スィンバルズ
**cymbals**
シンバル

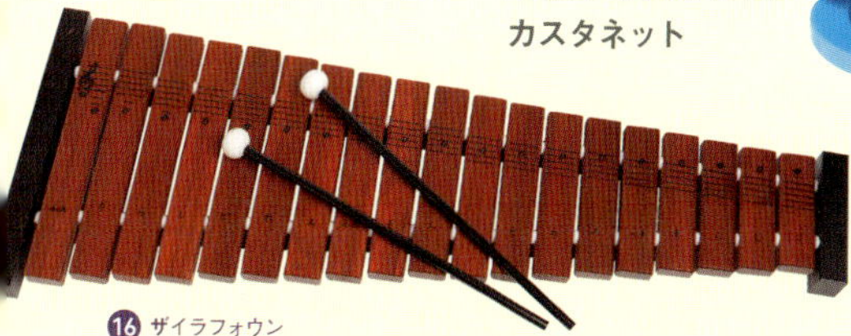

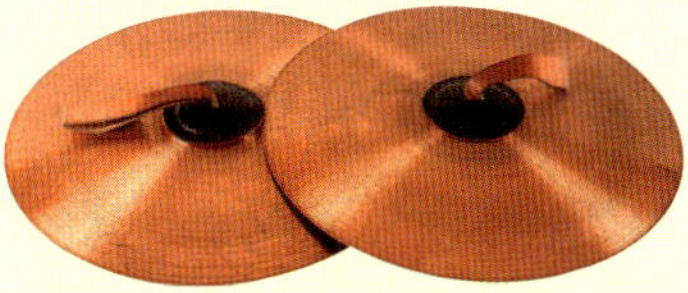

16 ザイラフォウン
**xylophone**
木(もっ)きん

17 ミューズィカル スコァ
**musical score**
楽(がく)ふ

18 ノウト
**note**
音(おん)ぷ

19 ドゥラム
**drum**
たいこ

20 トゥレブル クレフ
**treble clef**
ト音記号(おんきごう)

21 ベイス クレフ
**bass clef**
へ音記号(おんきごう)

22 マラカス
**maracas**
マラカス

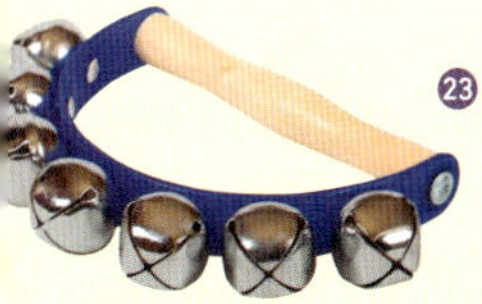

23 ベルズ
**bells**
鈴(すず)

24 ブラス バンド
**brass band**
ブラスバンド

# Music ② 音楽

① カンサート **concert** コンサート

④ ワウ ファンタスティック **Wow! Fantastic!** わあ！すてき！

② オーディアンス **audience** 観客

③ カンダクタァ **conductor** 指揮者

⑤ レッツ プラクティス **Let's practice.** 練習しましょう。

⑥ クウォーテット **quartet** カルテット（四重奏）

⑦ カントゥラベイス **contrabass** コントラバス

⑧ チェロゥ **cello** チェロ

⑨ ヴァイアリン **violin** バイオリン

10 ウクレーレ
**ukulele**
ウクレレ

11 マンダリン
**mandolin**
マンドリン

12 トゥランピット
**trumpet**
トランペット

13 ギター
**guitar**
ギター

14 ハープ
**harp**
ハープ

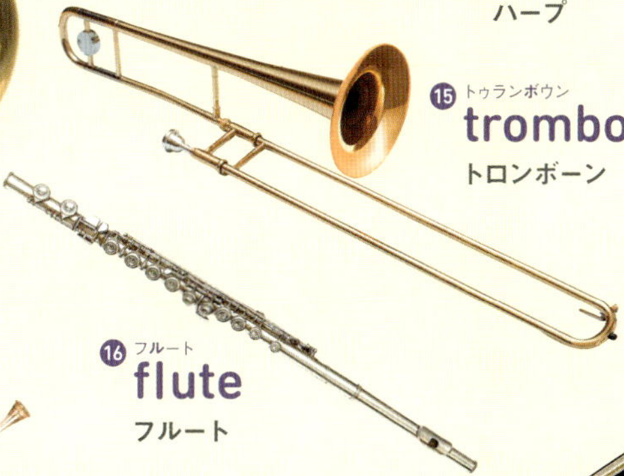

15 トゥランボウン
**trombone**
トロンボーン

16 フルート
**flute**
フルート

17 ホーン
**horn**
ホルン

20 ピアノゥ
**piano**
ピアノ

18 クララネット
**clarinet**
クラリネット

19 アコーディアン
**accordion**
アコーディオン

# Sports 1 スポーツ

CD 2-16

1 ヴァリィボール
**volleyball**
バレーボール

2 テニス
**tennis**
テニス

4 ナイス シャット
**Nice shot!**
ナイスシュート！

3 バスキットゥボール
**basketball**
バスケットボール

5 バドゥミントゥン
**badminton**
バドミントン

6 テイブル テニス
**table tennis**
卓球（たっきゅう）

7 ガルフ
**golf**
ゴルフ

9 アィ ケイム イン ファースト
**I came in first.**
ぼくが１位（い）だ。

8 マラサン
**marathon**
マラソン

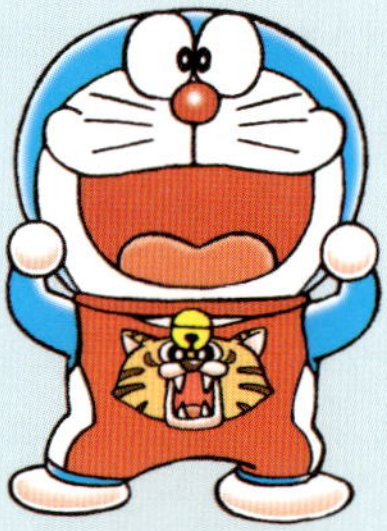

10 レスリング
**wrestling**
レスリング

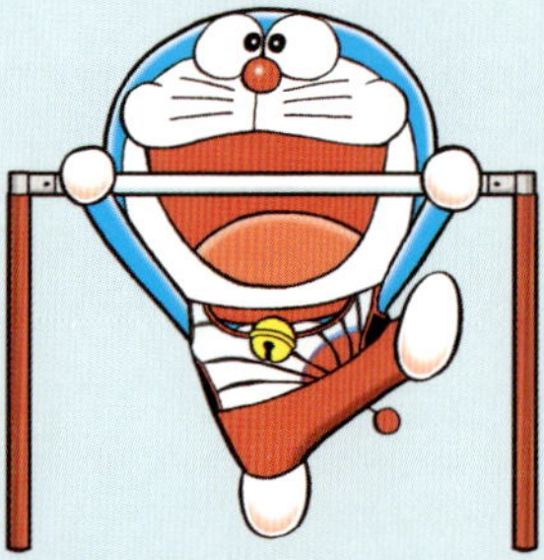

11 ヂムナスティックス
**gymnastics**
体操（たいそう）

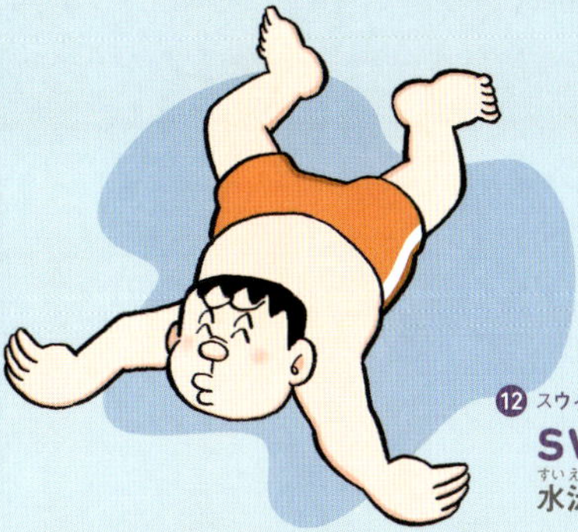

⑬ ユー アー ア グッド
You are a good
スウィマァ チャイアン
swimmer, Gian.
ジャイアンは水泳（すいえい）が上手（じょうず）。

⑫ スウィミング
**swimming**
水泳（すいえい）

⑭ サーフィング
**surfing**
サーフィン

⑮ カヌーイング
**canoeing**
カヌー

⑯ サイクリング
**cycling**
サイクリング

⑱ アイム ゴウイング トゥ ウィン
I'm going to win.
勝（か）ってみせる。

⑰ チュードウ
**judo**
柔道（じゅうどう）

⑲ ケンドウ
**kendo**
剣道（けんどう）

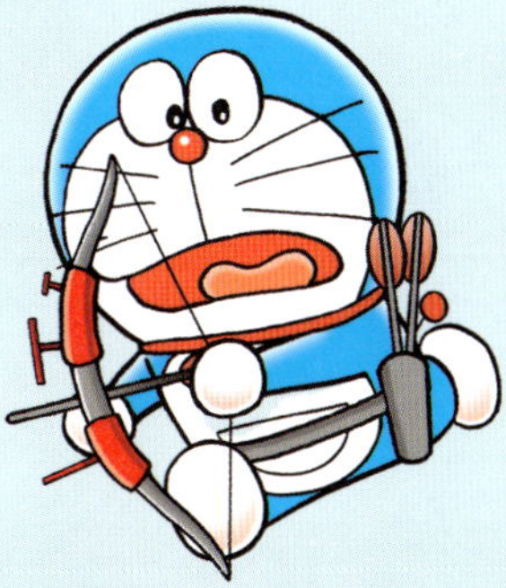

⑳ アーチャリィ
**archery**
アーチェリー

# Sports ② スポーツ

CD 2-17

① バクスイング
**boxing**
ボクシング

② ウェイトリフティング
**weightlifting**
ウェイトリフティング

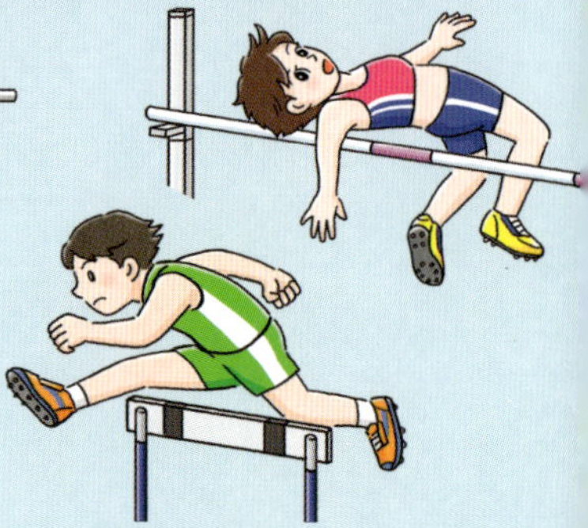

③ トゥラック アンド フィールド
**track and field**
陸上競技（りくじょうきょうぎ）

④ アイス ハッキィ
**ice hockey**
アイスホッケー

⑤ スキーイング
**skiing**
スキー

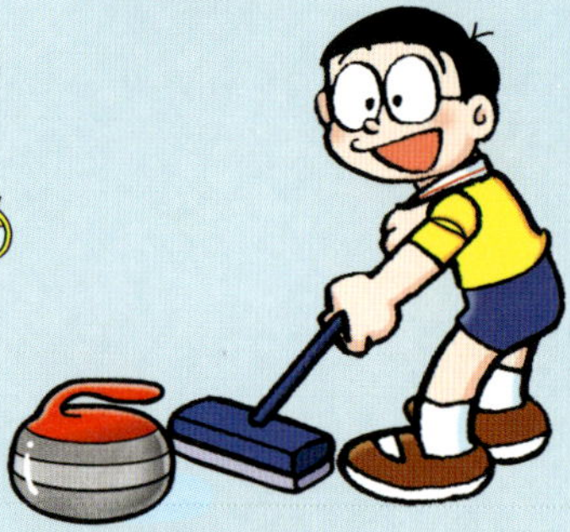

⑥ カーリング
**curling**
カーリング

⑦ シズカ イズ ア グッド フィギャア スケイタァ
**Shizuka is a good figure skater.**
しずかちゃんはフィギュアスケートが上手（じょうず）。

⑧ フィギャア スケイティング
**figure skating**
フィギュアスケート

⑨ (ホ)ワット スポート
What sport
ドゥ ユー ライク
do you like?
どんなスポーツが好き？

⑩ アィ ライク サッカァ
I like soccer.
サッカーが好きだよ。

⑪ ズィ オリンピックス
The Olympics
オリンピック

⑫ ザ パラリンピックス
The Paralympics
パラリンピック

⑬ カム アン
Come on,
ヂャパン
Japan!
日本がんばれ！

⑭ スィルヴァ
silver
メドゥル
medal
銀メダル

⑮ ゴウルド メドゥル
gold medal
金メダル

⑯ ブランズ
bronze
メドゥル
medal
銅メダル

## いろいろなスポーツ

⑰ クライミング
climbing
クライミング

⑱ ラグビィ
rugby
ラグビー

⑲ アスレティックス
athletics
運動競技

⑳ フットボール
football
アメリカン
フットボール

㉑ ラニング
running
ランニング

㉒ ソーフトボール
softball
ソフトボール

㉓ カラーティ
karate
空手

㉔ ダイヴィング
diving
飛び込み

㉕ ホウィールチェア
wheelchair
バスキットゥボール
basketball
車いすバスケットボール

㉖ ホウィールチェア
wheelchair
テニス
tennis
車いすテニス

㉗ スィッティング
sitting
ヴァリィボール
volleyball
シッティングバレーボール

㉘ セイリング
sailing
セイリング

# Soccer and Baseball

サッカーと野球

CD 2-18

## 1 Soccer サッカー

### サッカーの言葉

| | | |
|---|---|---|
| 10 | shot | シュート |
| 11 | pass | パス |
| 12 | heading | ヘディング |
| 13 | dribbling | ドリブル |

14 soccer ball サッカーボール

⑮ ベイスボール
# Baseball 野球(やきゅう)

⑯ アイム ゴウイング トゥ ヒット ア ホウム ラン
**I'm going to hit a home run.**
ホームランを打(う)ってやる。

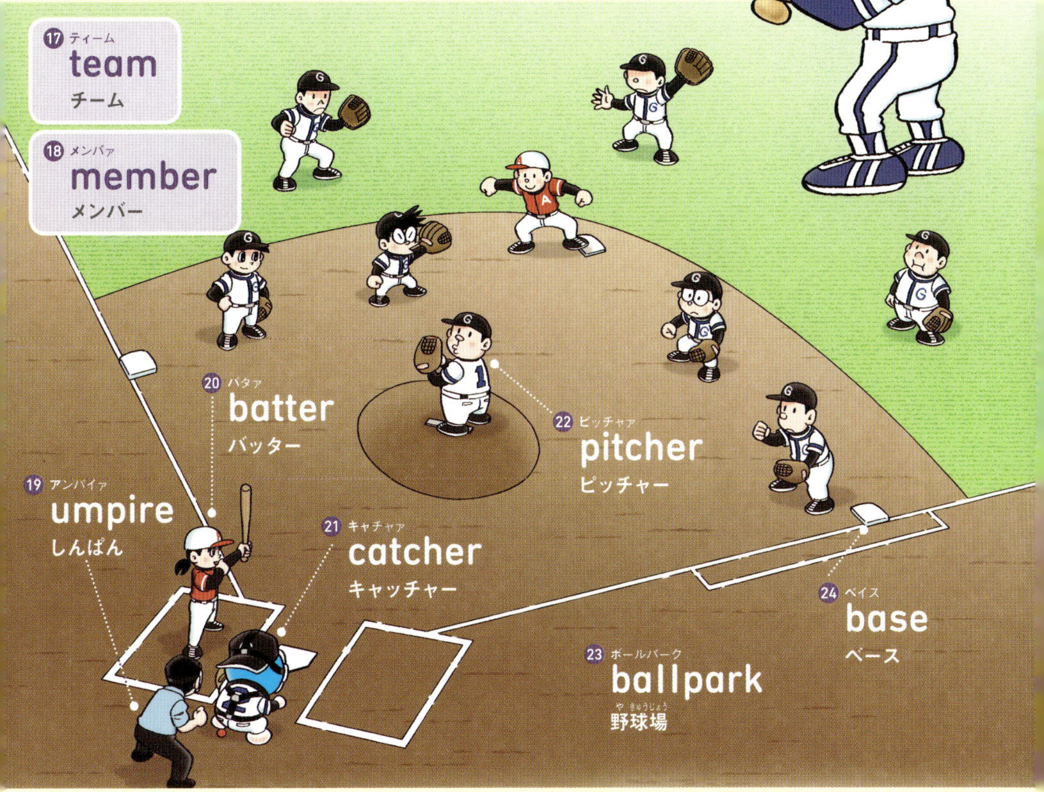

⑰ ティーム
**team**
チーム

⑱ メンバァ
**member**
メンバー

⑲ アンパイァ
**umpire**
しんぱん

⑳ バタァ
**batter**
バッター

㉑ キャチァア
**catcher**
キャッチャー

㉒ ピッチャァ
**pitcher**
ピッチャー

㉓ ボールパーク
**ballpark**
野球場(やきゅうじょう)

㉔ ベイス
**base**
ベース

## 野球(やきゅう)の言葉(ことば)

| | |
|---|---|
| ㉕ ホウム ラン **home run** | ホームラン |
| ㉖ ヒット **hit** | ヒット |
| ㉗ ストゥライク **strike** | ストライク |
| ㉘ ボール **ball** | ボール |

㉙ バット
**bat**
バット

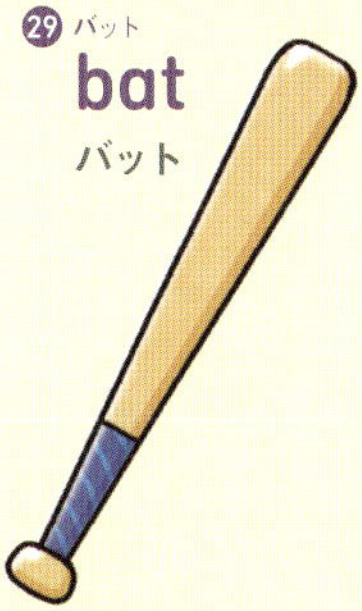

㉚ グラヴ
**glove**
グローブ

# Mountain 山

CD 2-19

1 It's fun to play in nature!
自然の中で遊ぶのは楽しいね！

2 The air is fresh!
いい空気！

3 hammock
ハンモック

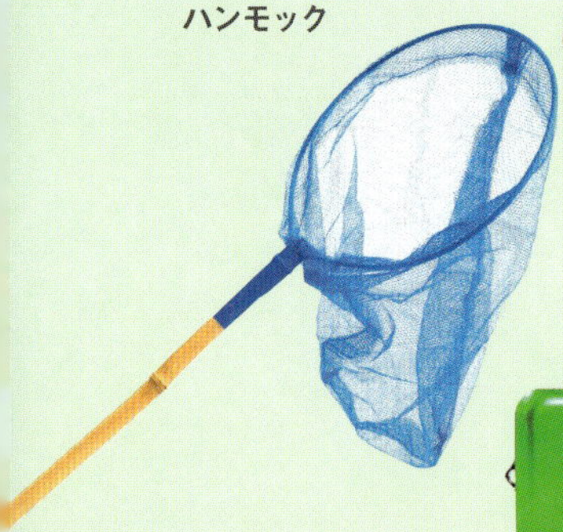

4 butterfly net
虫取りあみ

5 flashlight
かい中電灯

6 camera
カメラ

7 bug spray
虫よけスプレー

14 barbecue
バーベキュー

15 fishing
つり

16 hiking
ハイキング

⑧ キャビン
**cabin**
小屋（こや）

⑨ ランタァン
**lantern**
ランタン

⑩ ローグ
**log**
丸太（まるた）

⑪ レクリエイショヌル ヴィークル
**recreational vehicle**
キャンピングカー

⑫ パンド
**pond**
池（いけ）

⑬ キャンピング イズ ファン
**Camping is fun.**
キャンプはいいな。

⑰ チャップ ファイァウッド
**chop firewood**
まきを割（わ）る

⑱ ピッチ ア テント
**pitch a tent**
テントを張（は）る

⑲ メイク ア ファイァ
**make a fire**
火（ひ）をおこす

# Beach（ビーチ） 海辺（うみべ）

1 ハライズン **horizon** 水平線（すいへいせん）

2 ウェイヴ **wave** 波（なみ）

3 ビーチ **beach** 浜（はま）

4 スィーシェル **seashell** 貝（かい）がら

5 サンスクリーン **sunscreen** 日焼（ひや）け止（ど）め

6 ガッグルズ **goggles** ゴーグル

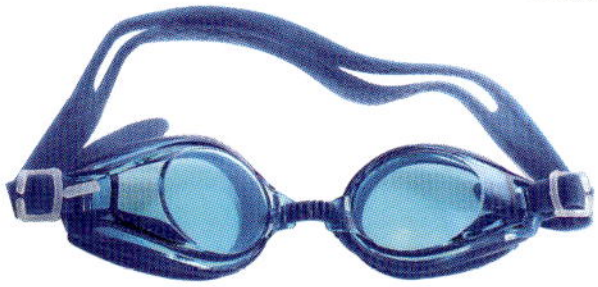

7 サングラスィズ **sunglasses** サングラス

8 ライフ チャキット **life jacket** ライフジャケット

9 シャヴァル **shovel** シャベル

10 フィンズ **fins** 足（あし）ひれ

11 ビーチ アンブレラ **beach umbrella** ビーチパラソル

12 ビーチ ボール
**beach ball**
ビーチボール

13 フリップ フラップス
**flip-flops**
ビーチサンダル

14 マスク
**mask**
マスク

15 スノーカル
**snorkel**
シュノーケル

16 フレィ
**Hooray!**
わーい！

17 スウィム リング
**swim ring**
うきわ

18 サンド
**sand**
砂（すな）

19 アィ フィール グレイト
**I feel great!**
気分最高（きぶんさいこう）！

20 ラバァ ボート
**rubber boat**
ゴムボート

21 サーフボード
**surfboard**
サーフボード

22 スウィムスート
**swimsuit**
水着（みずぎ）

# フラウァズ　アンド　プランツ
# Flowers and Plants

## はな　しょくぶつ
## 花と植物

CD 2 -21

1 ハウ　カラァフル
How colorful!
いろ
きれいな色！

2 トゥーリップ
tulip
チューリップ

3 リリィ
lily
ゆり

4 カーネイション
carnation
カーネーション

5 ヴァイアリット
violet
すみれ

6 ロウズ
rose
ばら

7 ナースィサス
narcissus
すいせん

8 ソーン
thorn
とげ

9 サンフラウワァ
sunflower
ひまわり

10 ペトゥル
petal
はな
花びら

11 バッド
bud
つぼみ

12 ステム
stem
くき

13 リーフ
leaf
は
葉

14 ハウ　キュート
How cute!
なんてかわいいの！

15 ダンダライアン
**dandelion**
たんぽぽ

16 モーニング グローリィ
**morning glory**
朝顔（あさがお）

18 トゥリー
**tree**
木（き）

19 ブランチ
**branch**
枝（えだ）

20 トゥランク
**trunk**
幹（みき）

21 ルート
**root**
根（ね）

17 ハイドゥレインヂャ
**hydrangea**
あじさい

22 クリサンサマム
**chrysanthemum**
きく

23 エイコーン
**acorn**
どんぐり

24 スィード
**seed**
種（たね）

25 ギンコゥ
**ginkgo**
いちょう

26 ギンコゥ ナット
**ginkgo nut**
ぎんなん

27 バルブ
**bulb**
球根（きゅうこん）

28 パイン コウン
**pine cone**
松（まつ）ぼっくり

29 メイプル
**maple**
もみじ

30 パイン
**pine**
松（まつ）

# Scenery 風景



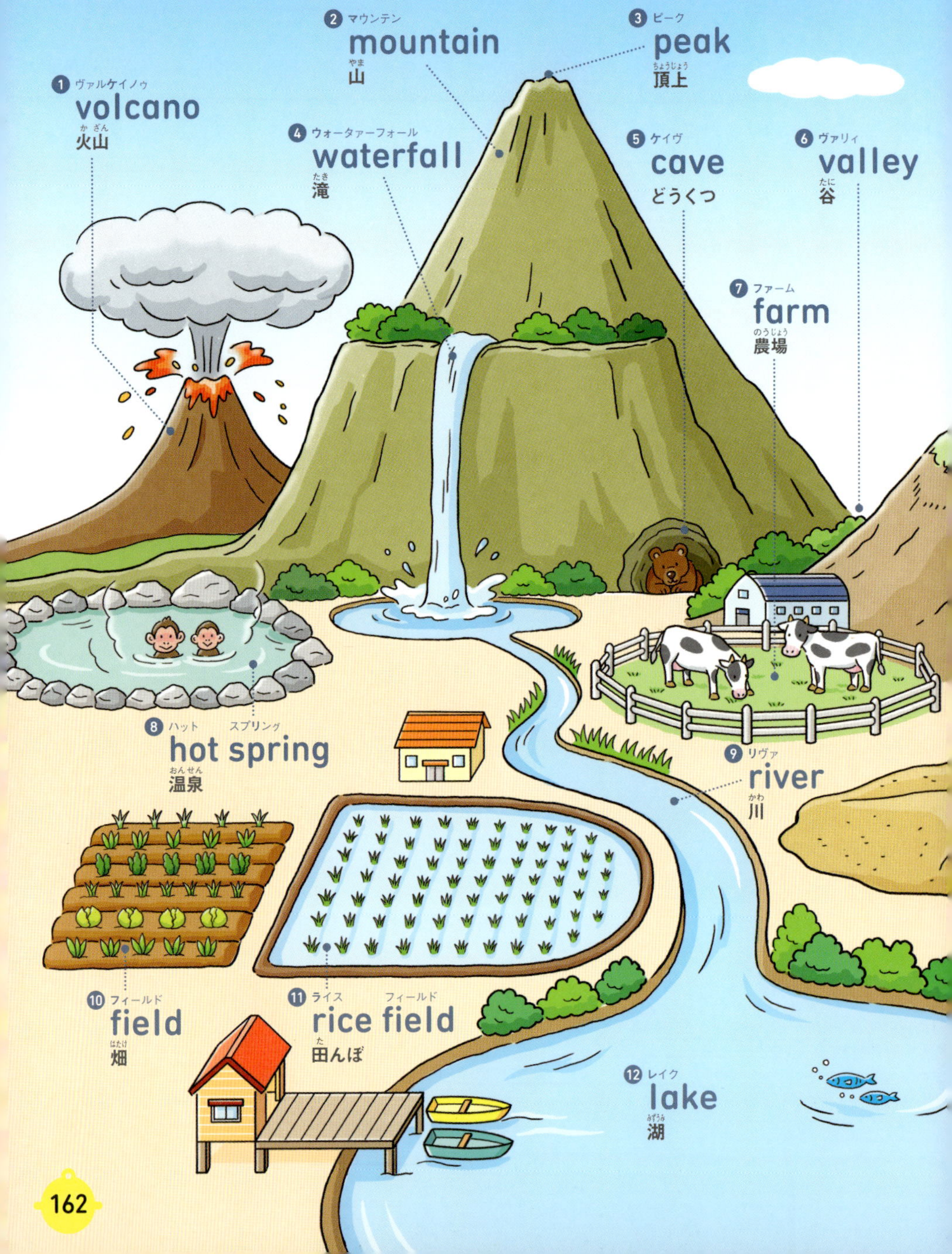

1 ヴァルケイノゥ volcano 火山
2 マウンテン mountain 山
3 ピーク peak 頂上
4 ウォータァーフォール waterfall 滝
5 ケイヴ cave どうくつ
6 ヴァリィ valley 谷
7 ファーム farm 農場
8 ハット スプリング hot spring 温泉
9 リヴァ river 川
10 フィールド field 畑
11 ライス フィールド rice field 田んぼ
12 レイク lake 湖

13 (ホ)ウェア ドゥ ユー ワント トゥ ゴウ
Where do you want to go?
どこへ行きたい？
14 アィ ワント トゥ ゴウ トゥ ザ レイク
I want to go to the lake.
湖に行きたいな。
15 スカイ sky 空
16 ヒル hill 丘
17 フォーリスト forest 森
18 クリフ cliff がけ
19 アイランド island 島
20 スィー sea 海
21 デザァト desert 砂ばく
22 ヂャングル jungle ジャングル

# Weather（ウェザァ） 天気（てんき）

CD 2 -23

1 サン
**sun**
太陽（たいよう）

2 イッツ サニィ
**It's sunny.**
晴（は）れています。

3 クラウド
**cloud**
雲（くも）

4 イッツ クラウディ
**It's cloudy.**
くもっています。

5 ハウズ ザ ウェザァ
**How's the weather?**
天気（てんき）はどう？

6 フォーッグ
**fog**
きり

7 イッツ フォーギィ
**It's foggy.**
きりがかかっています。

18 レインボウ
**rainbow**
虹（にじ）

19 サンダァ
**thunder**
かみなり（らい鳴（めい））

20 ライトゥニング
**lightning**
いなずま

8 It's raining.（イッツ レイニング）
雨(あめ)が降(ふ)っているね。

9 rain（レイン）
雨(あめ)

10 It's rainy.（イッツ レイニィ）
雨(あめ)です。

11 It's snowing.（イッツ スノウィング）
雪(ゆき)が降(ふ)っている。

12 snow（スノウ）
雪(ゆき)

13 It's snowy.（イッツ スノウィ）
雪(ゆき)です。

14 wind（ウィンド）
風(かぜ)

15 It's windy.（イッツ ウィンディ）
風(かぜ)があります。

16 storm（ストーム）
あらし

17 It's stormy.（イッツ ストーミィ）
あらしになっています。

21 typhoon（タイフーン）
台風(たいふう)

# Space ❶ 宇宙（うちゅう）

スペイス

CD 2 -24

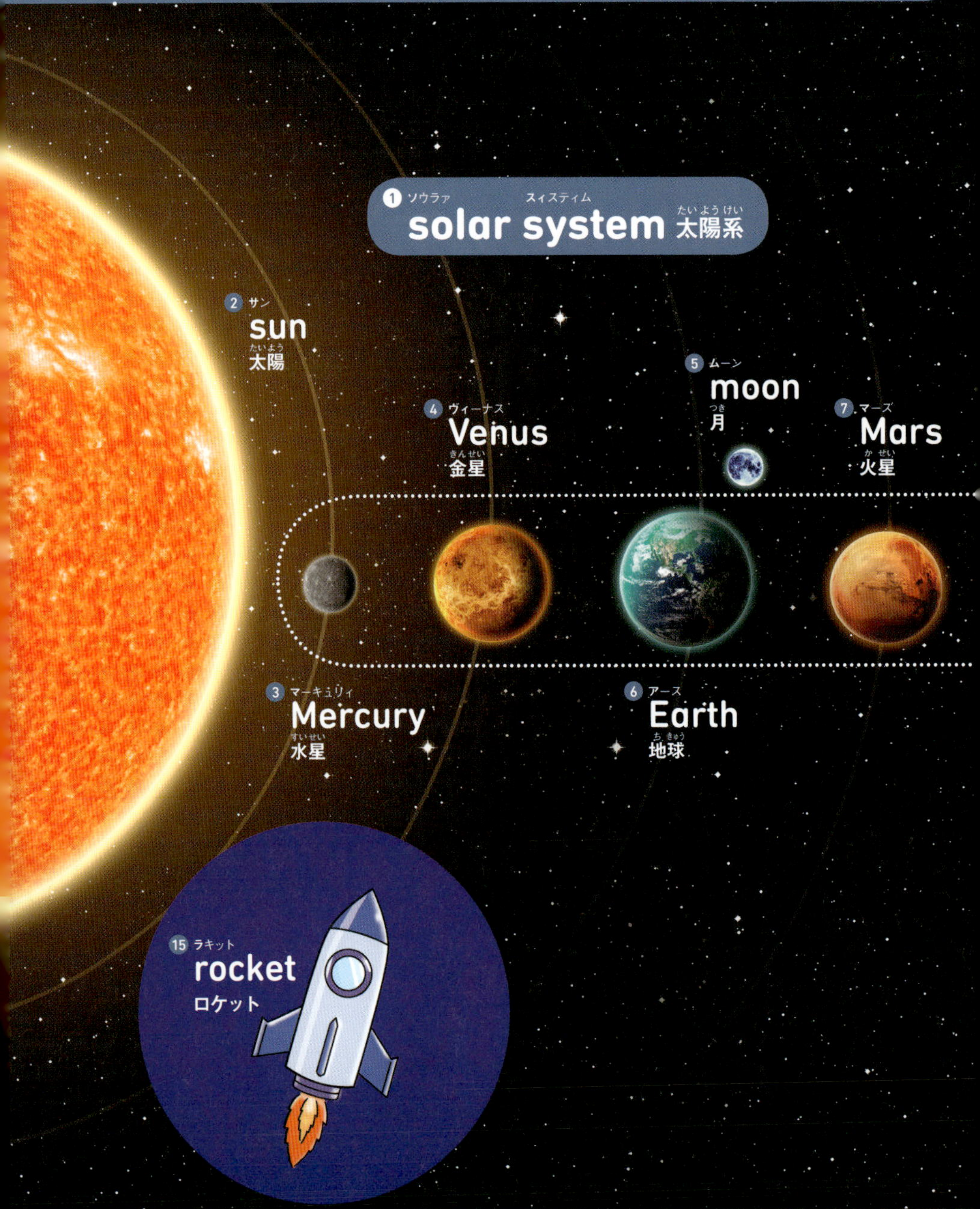

⑬ アィ ライク ズィス スペイススート
I like this spacesuit.
この宇宙服(うちゅうふく)、好(す)き。

⑫ プラニッツ
**planets** わく星(せい)

⑧ チューパタァ
**Jupiter**
木星(もくせい)

⑨ サタァン
**Saturn**
土星(どせい)

⑩ ユァラナス
**Uranus**
天王星(てんのうせい)

⑭ スタァ
**star**
星(ほし)

⑪ ネプトゥーン
**Neptune**
海王星(かいおうせい)

⑯ ルック アット ザ ワンダァフル プラニッツ
Look at the wonderful planets!
すてきなわく星(せい)を見(み)て！

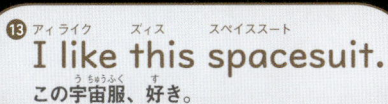

# スペイス
# Space 2 宇宙（うちゅう）



1 (ホ)ウェア　ア　ユー　フラム
**Where are you from?**
どちらの出身（しゅっしん）ですか？

2 アイム　フラム　マーズ
**I'm from Mars.**
火星（かせい）です。

3 エイリャン
**alien**
宇宙人（うちゅうじん）

5 ソウラァ　イクリプス
**solar eclipse**
日食（にっしょく）

4 ザ　ギャラクスィ
**the Galaxy**
銀河系（ぎんがけい）

6 ルーナァ　イクリプス
**lunar eclipse**
月食（げっしょく）

7 フル　ムーン
**full moon**
満月（まんげつ）

8 ハーフ　ムーン
**half moon**
半月（はんげつ）

9 クレスント　ムーン
**crescent moon**
三日月（みかづき）

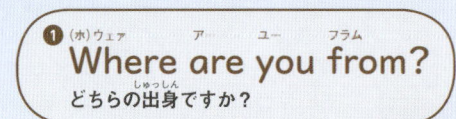

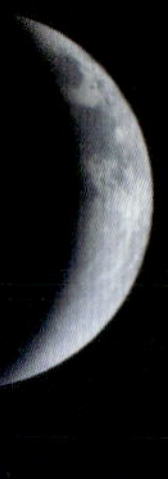

10 (カミット) **comet**
すい星

11 (ブラック ホウル) **black hole**
ブラックホール

12 (ミーティアライト) **meteorite**
いん石

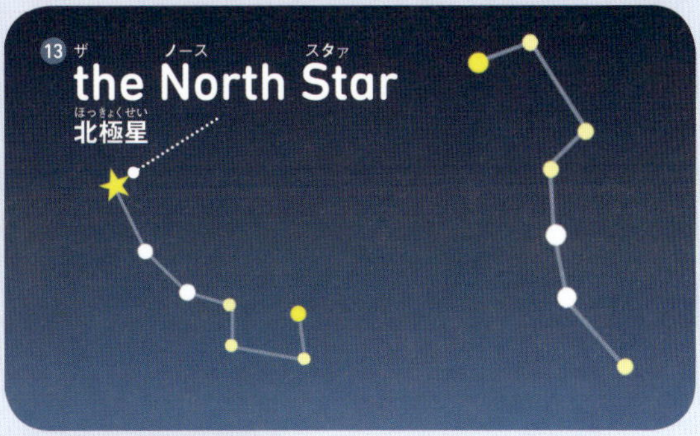

13 (ザ ノース スタァ) **the North Star**
北極星

14 (ザ ビッグ ディッパァ) **the Big Dipper**
北斗七星

15 (ザ ミルキィ ウェイ) **the Milky Way**
天の川

16 (ザ サザァン クロース) **the Southern Cross**
南十字星

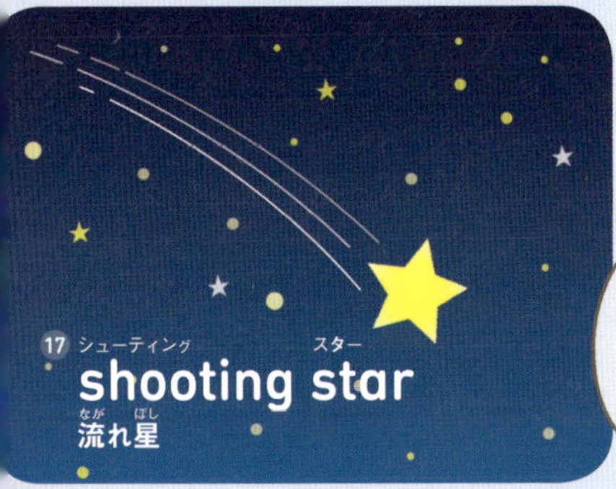

17 (シューティング スター) **shooting star**
流れ星

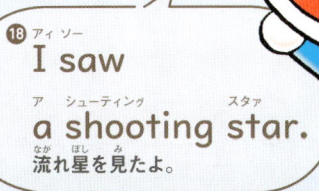

18 (アイ ソー) **I saw**
(ア シューティング スタァ) **a shooting star.**
流れ星を見たよ。

# 世界 World Map 世界地図

**①** the United Kingdom (the UK)
イギリス

**②** London
ロンドン

**③** France
フランス

**④** Paris
パリ

**⑤** Europe
ヨーロッパ

**⑥** Germany
ドイツ

**⑦** Spain
スペイン

**⑧** Italy
イタリア

**⑨** Egypt
エジプト

**⑩** Africa
アフリカ

**⑪** Russia
ロシア

**⑫** Asia
アジア

**⑬** Korea
韓国

**⑭** China
中国

**⑮** Japa
日本

**⑯** India
インド

**⑰** Singapore
シンガポール

**⑱** Australia
オーストラリア

**⑲** Sydney
シドニー

**㉝** English is spoken all over the world.
英語は世界中で話されているよ。

## 世界の言葉

**㉞** English 英語

**㉟** Chinese 中国語

**㊱** Spanish スペイン語

**㊲** Hindi ヒンディ語

38 フレンチ
**French** フランス語

39 ヂャパニーズ
**Japanese** 日本語

40 ヂャーマン
**German** ドイツ語

41 ラシャン
**Russian** ロシア語

※the U. S. A.は the United States of America を短くしたものです。

# National Flags 国旗
ナショヌル フラッグズ こっき

CD 2 -27

❶ ゼァ アー メニィ カントゥリィズ
There are many countries
イン ザ ワールド
in the world.
せかい くに
世界にはたくさんの国があるよ。

❷ アメリカ
**America**
アメリカ

❸ アーヂャンティーナ
**Argentina**
アルゼンチン

❹ オーストゥレイリァ
**Australia**
オーストラリア

❺ ベルヂャム
**Belgium**
ベルギー

❻ バリーヴィア
**Bolivia**
ボリビア

❼ ブラズィル
**Brazil**
ブラジル

❽ キャナダ
**Canada**
カナダ

❾ チャイナ
**China**
ちゅうごく
中国

❿ デンマーク
**Denmark**
デンマーク

⓫ イーヂプト
**Egypt**
エジプト

⓬ フィンランド
**Finland**
フィンランド

⓭ フランス
**France**
フランス

⓮ ヂャーマニィ
**Germany**
ドイツ

⓯ ガーナ
**Ghana**
ガーナ

⓰ ハンガリィ
**Hungary**
ハンガリー

⓱ インディァ
**India**
インド

18 インダニージャ
**Indonesia**
インドネシア

19 アイァランド
**Ireland**
アイルランド

20 イタリィ
**Italy**
イタリア

21 ヂャパン
**Japan**
日本（にほん）

22 ケニャ
**Kenya**
ケニア

23 ラーオウス
**Laos**
ラオス

24 マレイジャ
**Malaysia**
マレーシア

25 メクスィコウ
**Mexico**
メキシコ

26 マンゴウリア
**Mongolia**
モンゴル

27 ノーウェィ
**Norway**
ノルウェー

28 オウマーン
**Oman**
オマーン

29 パルー
**Peru**
ペルー

30 カター
**Qatar**
カタール

31 ラッシャ
**Russia**
ロシア

32 スィンガポァ
**Singapore**
シンガポール

33 サウス カリーア
**South Korea**
韓国（かんこく）

34 スペイン
**Spain**
スペイン

35 タイランド
**Thailand**
タイ

36 ザ ユーケィ
**the UK**
イギリス

37 ターキィ
**Turkey**
トルコ

38 ヴィエトゥナーム
**Vietnam**
ベトナム

39 イエマン
**Yemen**
イエメン

40 ザンビーア
**Zambia**
ザンビア

サイトスィーイング　スパッツ
# Sightseeing Spots
観光地

CD 2 -28

1 レッツ テイク ア ピクチャァ
**Let's take a picture.**
写真をとろうよ。

3 マウント エヴァリスト
**Mount Everest**
エベレスト（ネパール／中国）

2 ズィ アイファル タウァ
**the Eiffel Tower**
エッフェル塔（フランス）

4 バッキンガム パリス
**Buckingham Palace**
バッキンガム宮殿（イギリス）

5 セイント バズルズ カスィードゥラル
**St. Basil's Cathedral**
聖ワシリー寺院（ロシア）

6 ハウ インタラスティング
**How interesting!**
なんておもしろいの！

7 ザ ターヂ マハール
**the Taj Mahal**
タージマハル（インド）

8 ザ リーニング タウァ アヴ ピーザ
**the Leaning Tower of Pisa**
ピサの斜塔（イタリア）

9 ナイアガラ フォールズ
## Niagara Falls
ナイアガラの滝(アメリカ／カナダ)

10 イッツ ア ヴェリィ フェイマス スタチュー
**It's a very famous statue.**
とっても有名な像よ。

11 ザ スタチュー アヴ リバァティ
## the Statue of Liberty
自由の女神(アメリカ)

12 アィ ウォークト アン ザ グレイト ウォール
**I walked on the Great Wall.**
万里の長城を歩いたよ。

13 ザット サウンヅ イクサイティング
**That sounds exciting!**
それはわくわくするね！

14 ザ グレイト ウォール アヴ チャイナ
## the Great Wall of China
万里の長城（中国）

15 ザ スフィンクス アンド ピラミッヅ
## the Sphinx and pyramids
スフィンクスとピラミッド(エジプト)

16 ザ グレイト バリア リーフ
## the Great Barrier Reef
グレートバリアリーフ(オーストラリア)

インタァナショヌル フーヅ

# International Foods

せかい た もの
世界の食べ物

CD 2 -29

⑬ (ホ)ワット ウッド ユー ライク トゥ ハヴ

## What would you like to have?

どの料理を食べてみたい？

㉕ ワゥ
**Wow!**

アイル テイク カーリィ アンド ナーン
**I'll take curry and naan.**

わあ！ カレーとナンが食べたいな。

# 世界（せかい） Japanese Culture ❶（チャパニーズ カルチャァ）

## 日本文化（にほんぶんか）

CD 2 -30

❶ レット ミー イントゥラドゥース チャパン
Let me introduce Japan.
日本（にほん）をしょうかいさせてね。
❷ シュリ キャスル
Shuri Castle
首里城（しゅりじょう）
❸ ヒメジ キャスル
Himeji Castle
姫路城（ひめじじょう）
❹ エイヘイジ テンプル
Eiheiji Temple
永平寺（えいへいじ）
❺ ナガサキ クンチ フェスタヴァル
Nagasaki Kunchi Festival
長崎（ながさき）くんち
❻ アタミック バム ドウム
Atomic Bomb Dome
原（げん）ばくドーム
❼ トットリ サンド ドゥーンズ
Tottori Sand Dunes
鳥取砂丘（とっとりさきゅう）
❽ ギオン フェスタヴァル
Gion Festival
祇園祭（ぎおんまつ）り
❾ レイク ビワ
Lake Biwa
びわ湖（こ）
❿ クマモト キャスル
Kumamoto Castle
熊本城（くまもとじょう）
⓫ サクラジマ
Sakurajima
桜島（さくらじま）
⓬ アワ オドリ
Awa Odori
阿波（あわ）おどり
⓭ キンカクジ テンプル
Kinkakuji Temple
金閣寺（きんかくじ）
⓮ ホウリュウジ テンプル
Horyuji Temple
法隆寺（ほうりゅうじ）
⓯ イセ ジングウ
Ise Jingu
伊勢神宮（いせじんぐう）

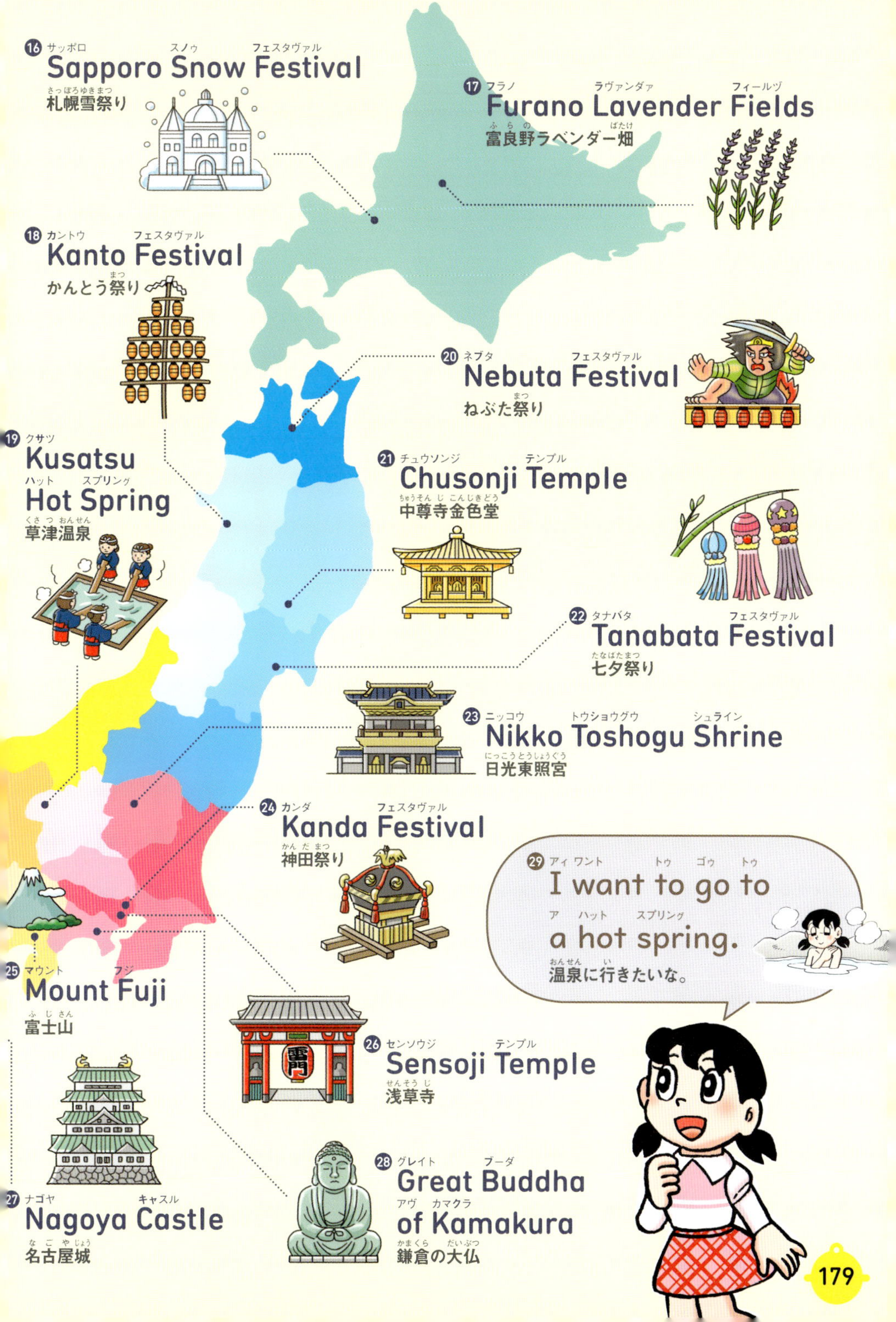

16 サッポロ スノウ フェスタヴァル
Sapporo Snow Festival
さっぽろゆきまつり
札幌雪祭り
17 フラノ ラヴァンダァ フィールヅ
Furano Lavender Fields
ふらの はたけ
富良野ラベンダー畑
18 カントウ フェスタヴァル
Kanto Festival
まつ
かんとう祭り
19 クサツ
Kusatsu
ハット スプリング
Hot Spring
くさつおんせん
草津温泉
20 ネブタ フェスタヴァル
Nebuta Festival
まつ
ねぶた祭り
21 チュウソンジ テンプル
Chusonji Temple
ちゅうそんじこんじきどう
中尊寺金色堂
22 タナバタ フェスタヴァル
Tanabata Festival
たなばたまつ
七夕祭り
23 ニッコウ トウショウグウ シュライン
Nikko Toshogu Shrine
にっこうとうしょうぐう
日光東照宮
24 カンダ フェスタヴァル
Kanda Festival
かんだまつ
神田祭り
雷門
25 マウント フジ
Mount Fuji
ふじさん
富士山
26 センソウジ テンプル
Sensoji Temple
せんそうじ
浅草寺
27 ナゴヤ キャスル
Nagoya Castle
なごやじょう
名古屋城
28 グレイト ブーダ
Great Buddha
アヴ カマクラ
of Kamakura
かまくら だいぶつ
鎌倉の大仏
29 アィ ワント トゥ ゴゥ トゥ
I want to go to
ア ハット スプリング
a hot spring.
おんせん い
温泉に行きたいな。

# Japanese Culture ❷

チャパニーズ カルチャァ

## 日本文化(にほんぶんか)

CD 2 -31

❶ キモゥノゥズ アー ビュータフル
**Kimonos are beautiful.**
着物(きもの)ってきれいね。

❷ キモノ
**kimono**
着物(きもの)

❸ チャパニーズ ハープ
**Japanese harp**
琴(こと)

❹ シャミセン
**shamisen**
三味線(しゃみせん)

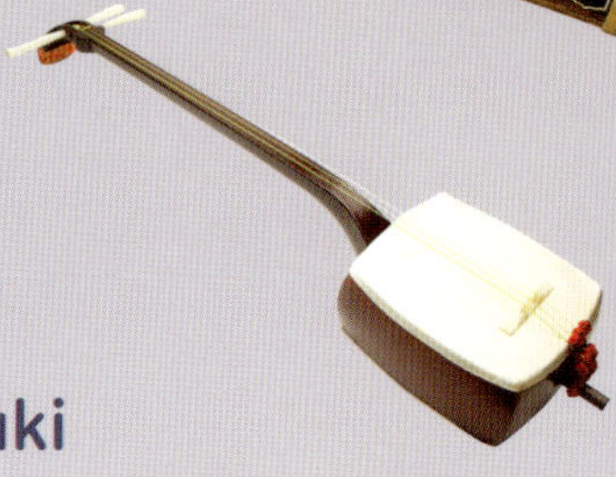

❺ ルック アット ミー
**Look at me!**
ぼくを見(み)て！

❻ カブーキ
**Kabuki**
歌舞伎(かぶき)

❼ ウキヨゥエ
**Ukiyoe**
浮世絵(うきよえ)

❽ ノゥ プレイ
**Noh play**
能(のう)

❾ スーモゥ
**sumo**
すもう

❿ ティー セラモウニィ
**tea ceremony**
茶道(さどう)

11 コケシ
**kokeshi**
こけし

12 ダルーマ
**Daruma**
だるま

13 オリガミ
**origami**
折(お)り紙(がみ)

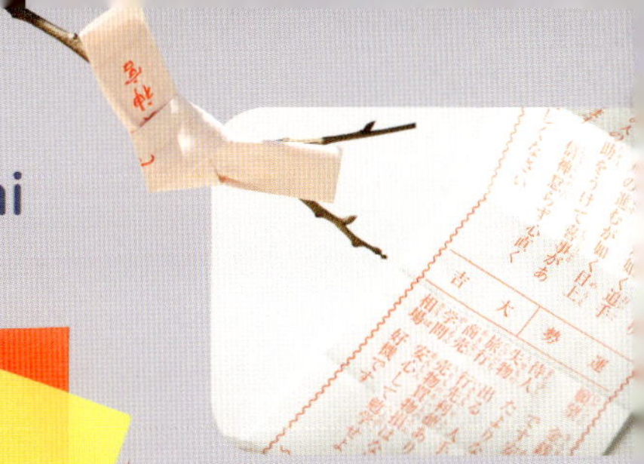

14 フォーチャン スリップ
**fortune slip**
おみくじ

15 イケバナ
**ikebana**
生(い)け花(ばな)

17 アィ ワン
**I won!**
勝(か)ったよ！

16 ショウギ
**shogi**
しょうぎ

18 アィ ロースト
**I lost.**
負(ま)けた。

19 タターミ
**tatami**
たたみ

20 テンプラー
**tempura**
天(てん)ぷら

21 ダンプリング
**dumpling**
だんご

22 ライス ケイク
**rice cake**
もち

23 スキヤキ
**sukiyaki**
すき焼(や)き

24 スシ
**sushi**
すし

# Time 時間

タイム

CD 2-32

⑫ トゥウェルヴ アクラック
**twelve o'clock** 12時

① ワン アクラック
**one o'clock** 1時

② トゥー アクラック
**two o'clock** 2時

③ スリー アクラック
**three o'clock** 3時

④ フォー アクラック
**four o'clock** 4時

⑤ ファイブ アクラック
**five o'clock** 5時

⑥ スィックス アクラック
**six o'clock** 6時

⑦ セヴン アクラック
**seven o'clock** 7時

⑧ エイト アクラック
**eight o'clock** 8時

⑨ ナイン アクラック
**nine o'clock** 9時

⑩ テン アクラック
**ten o'clock** 10時

⑪ イレヴァン アクラック
**eleven o'clock** 11時

⑬ (ホ)ワット タイム イズ イット
**What time is it?**
今何時？

⑭ イッツ ワン アクラック
**It's one o'clock.**
1時だよ。

⑮ イッツ ワン フィフティーン
**It's one fifteen.**
1時15分です。

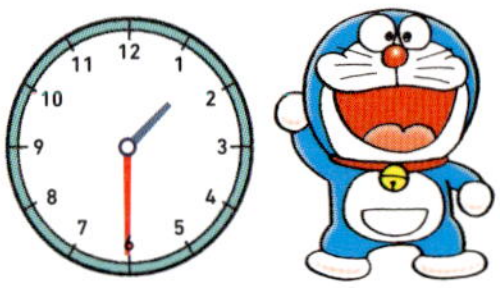

⑯ イッツ ワン サーティ
**It's one thirty.**
1時30分です。

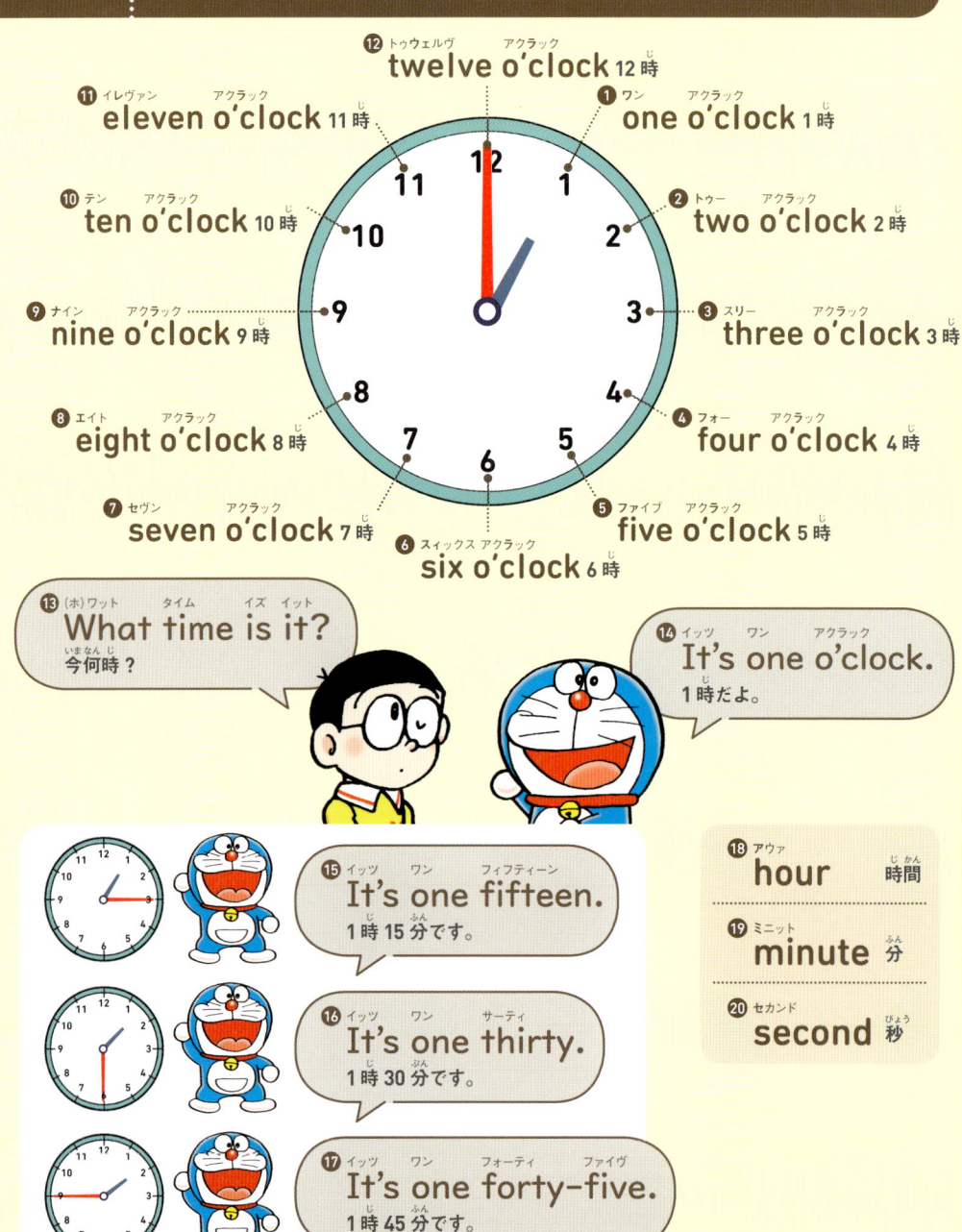

⑰ イッツ ワン フォーティ ファイブ
**It's one forty-five.**
1時45分です。

⑱ アウァ
**hour** 時間

⑲ ミニット
**minute** 分

⑳ セカンド
**second** 秒

## ㉑ A Day 一日
アデイ

㉒ A.M. 午前
エイ エム

㉓ I get up at seven.
アィ ゲット アップ アット セヴン
7時に起きるよ。

㉔ morning 朝
モーニング

㉕ noon 正午
ヌーン

㉖ afternoon 午後(正午から夕方まで)
アフタァヌーン

㉗ P.M. 午後
ピー エム

㉘ evening 夕方
イーヴニング

㉙ night 夜
ナイト

㉚ midnight 真夜中
ミッドゥナイト

㉛ Good night.
グッド ナイト
おやすみ。

㉜ Come home before dinner.
カム ホウム ビフォァ ディナァ
夕ご飯の前に帰ってきてね。

㉝ OK! I got it.
オウケイ アィ ガット イット
いいよ！ わかったよ。

㉞ I play soccer for an hour every day.
アィ プレィ サッカァ フォァ アン アウァ エヴリィ デイ
ぼくは毎日1時間サッカーをするよ。

# Calendar (キャランダァ) カレンダー

CD 2-33

**2112** — ① イァ **year** 年(ねん)

**December** — ② マンス **month** 月(つき)

| ③ サンデイ Sunday (Sun.) 日曜日(にちようび) | ④ マンデイ Monday (Mon.) 月曜日(げつようび) | ⑤ トゥーズデイ Tuesday (Tue.) 火曜日(かようび) | ⑥ ウェンズデイ Wednesday (Wed.) 水曜日(すいようび) |
|---|---|---|---|
| ⑫ デイ day 日(ひ) | | | |
| **4** ⑯ フォース fourth 4日(よっか) | **5** ⑰ フィフス fifth 5日(いつか) | **6** ⑱ スィックスス sixth 6日(むいか) | **7** ⑲ セヴンス seventh 7日(なのか) |
| **11** ㉓ イレヴァンス eleventh 11日(にち) | **12** ㉔ トゥウェルフス twelfth 12日(にち) | **13** ㉕ サーティーンス thirteenth 13日(にち) | **14** ㉖ フォーティーンス fourteenth 14日(か) |
| **18** ㉚ エイティーンス eighteenth 18日(にち) | **19** ㉛ ナインティーンス nineteenth 19日(にち) | **20** ㉜ トゥウェンティアス twentieth 20日(はつか) | **21** ㉝ トゥウェンティ ファースト twenty-first 21日(にち) |
| **25** ㊲ トゥウェンティ フィフス twenty-fifth 25日(にち) | **26** ㊳ トゥウェンティ スィックスス twenty-sixth 26日(にち) | **27** ㊴ トゥウェンティ セヴンス twenty-seventh 27日(にち) | **28** ㊵ トゥウェンティ エイトゥス twenty-eighth 28日(にち) |

㊼ ザ デイ ビフォア イェスタァデイ **the day before yesterday** おととい

㊽ イェスタァデイ **yesterday** 昨日(きのう)

㊾ トゥデイ **today** 今日(きょう)

⑩ ウィア ゴウイング トゥ ハヴ
We're going to have
ア カーラオウキィ パーティ トゥナイト
a karaoke party tonight.
こん や
今夜カラオケパーティーするぞ。

| ⑦ サーズデイ<br>Thursday<br>(Thu.) 木曜日（もくようび） | ⑧ フライデイ<br>Friday<br>(Fri.) 金曜日（きんようび） | ⑨ サタァデイ<br>Saturday<br>(Sat.) 土曜日（どようび） |
|---|---|---|
| 1<br>⑬ ファースト<br>first<br>1日（ついたち） | 2<br>⑭ セカンド<br>second<br>2日（ふつか） | 3<br>⑮ サード<br>third<br>3日（みっか） |
| 8<br>⑳ エイトゥス<br>eighth<br>8日（ようか） | 9<br>㉑ ナインス<br>ninth<br>9日（ここのか） | 10<br>㉒ テンス<br>tenth<br>10日（とおか） |
| 15<br>㉗ フィフティーンス<br>fifteenth<br>15日（にち） | 16<br>㉘ スィックスティーンス<br>sixteenth<br>16日（にち） | 17<br>㉙ セヴンティーンス<br>seventeenth<br>17日（にち） |
| 22<br>4 トゥウエンティ セカンド<br>twenty-second<br>22日（にち） | 23<br>㉟ トゥウエンティ サード<br>twenty-third<br>23日（にち） | 24<br>㊱ トゥウエンティ フォース<br>twenty-fourth<br>24日（か） |
| 29<br>㊶ トゥウエンティ ナインス<br>twenty-ninth<br>29日（にち） | 30<br>㊷ サーティアス<br>thirtieth<br>30日（にち） | 31<br>㊸ サーティ ファースト<br>thirty-first<br>31日（にち） |

⑪ ノウ ウェイ
No way.
やめてよ。

㊹ ウィーク
week
しゅう
週

㊺ ハラデイ
holiday
しゅくじつ
祝日

㊻ ウィーケンド
weekend
しゅうまつ
週末

㊿ トゥマーロウ
tomorrow
あした
明日

51 ザ デイ アフタァ トゥマーロウ
the day after tomorrow
あさって

# Months 月の名前

❶ ゼァラー トゥウェルヴ マンツ イン ア イァ
There are twelve months in a year.
1年には12の月があるよ。

❹ ヂャヌエリィ
## January 1月

❺ フェビュエリィ
## February 2月

❽ メイ
## May 5月

❾ ヂューン
## June 6月

⓬ セプテンバァ
## September 9月

⓭ アクトウバァ
## October 10月

❷ (ホ)ウェン イズ ユア バースデイ
When is your birthday?
誕生日(たんじょうび)はいつ？

❸ アイワズ ボーン アン セプテンバァ サード
I was born on September 3.
9月(がつ)3日(みっか)だよ。

❻ マーチ
## March 3月(がつ)

❼ エイプラル
## April 4月(がつ)

❿ ヂュライ
## July 7月(がつ)

⓫ オーガスト
## August 8月(がつ)

⓮ ノウヴェンバァ
## November 11月(がつ)

⓯ ディセンバァ
## December 12月(がつ)

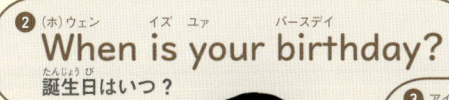

# Spring 春(はる)

スプリング

CD 2-35

1 サクラ モチ
## sakura mochi
桜(さくら)もち

2 ダールズ フェスタヴァル
## Doll's Festival
ひな祭(まつ)り

3 セイント パトゥリックス デイ
## St. Patrick's Day
セントパトリックデー

アイルランドから広(ひろ)まった、「聖(せい)パトリック」という聖人(せいじん)を祝(いわ)う日(ひ)。緑色(みどりいろ)のものを身(み)につけてパレードをするよ。

4 イースタァ
## Easter
イースター

5 グラヂュエイション セラモウニィ
## graduation ceremony
卒業式(そつぎょうしき)

8 カングラチュレイションズ
## Congratulations!
おめでとう！

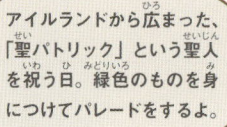

6 オウプニング セラモウニィ
## opening ceremony
始業式(しぎょうしき)

7 クロウズィング セラモウニィ
## closing ceremony
終業式(しゅうぎょうしき)

9 エントゥランス セラモウニィ
## entrance ceremony
入学式（にゅうがくしき）

10 メディカル チェックアップ
## medical checkup
健康（けんこう）しん断（だん）

11 オールモウスト ゼァ
## Almost there.
もうすぐよ。

12 アイム ヴェリィ タイァド
## I'm very tired.
すごく疲（つか）れたよ。

13 フィールド トゥリップ
## field trip
遠足（えんそく）

14 チルドゥランズ デイ
## Children's Day
こどもの日（ひ）

15 カシワ モチ
## kashiwa mochi
かしわもち

16 ヘルミット
## helmet
かぶと

17 カープ ストゥリーマァ
## carp streamer
こいのぼり

18 マザァズ デイ
## Mother's Day
母（はは）の日（ひ）

19 オーフ キャンパス ラーニング
## off-campus learning
校外学習（こうがいがくしゅう）

# Summer 夏

CD 2-36

1 アンブレラ
**umbrella**
かさ

2 レインコウト
**raincoat**
レインコート

3 イッツ ザ レイニィ スィーズン
**It's the rainy season.**
梅雨だね。

4 アィ ライク レイン
**I like rain.**
雨が好き。

5 ファーザァズ デイ
**Father's Day**
父の日

6 ヒァズ ア プレズント フォァ ユー
**Here's a present for you.**
プレゼントだよ。

7 スタァ フェスタヴァル
**Star Festival**
七夕

8 バンブー デカレイション
**bamboo decoration**
ささかざり

9 ウィッシュ ペイパァ
**wish paper**
短冊

## 学校のスケジュール

18 ファースト ターム
**first term**
一学期

19 サマァ ヴェイケイション
**summer vacation**
夏休み

20 セカンド ターム
**second term**
二学期

⑩ ファイァワークス フェスタヴァル
**fireworks festival**
花火大会（はなびたいかい）

⑪ ファン
**fan**
うちわ

⑫ ボン フェスタヴァル
**Bon Festival**
おぼん

## ⑬ スクール イヴェンツ School Events
学校行事（がっこうぎょうじ）

⑭ スィーサイド スクール キャンプ
**seaside school camp**
臨海学校（りんかいがっこう）

⑮ フォーリスト スクール キャンプ
**forest school camp**
林間学校（りんかんがっこう）

⑯ スウィミング ミート
**swimming meet**
水泳大会（すいえいたいかい）

⑰ シェイヴド アイス
**shaved ice**
かき氷（ごおり）

㉑ ウィンタァ ヴェイケイション
**winter vacation**
冬休み（ふゆやすみ）

▶

㉒ サード ターム
**third term**
三学期（さんがっき）

▶

㉓ スプリング ヴェイケイション
**spring vacation**
春休み（はるやすみ）

# Fall / Autumn 秋

CD 2 -37

① ムーン ヴューイング
## moon viewing
月見

② ハロウイーン
## Halloween
ハロウィーン

③ トゥリック オァ トウリート
## Trick or treat!
おかしをくれないと、いたずらしちゃうぞ！

④ ヂャッカランタァン
## jack-o'-lantern
ジャックオーランタン

⑤ スクール トゥリップ
## school trip
修学旅行

⑥ サンクスギヴィング デイ
## Thanksgiving Day
感謝祭

アメリカの祝日。
収かくを感謝する日。
七面鳥やかぼちゃの
パイを食べるよ。

⑦ スクール フェスタヴァルズ
## School Festivals
文化祭

⑧ ミューズィック フェスタヴァル
## music festival
音楽祭

⑨ ドゥラーマ フェスタヴァル
## drama festival
学芸会

⑩ ピストゥル
**pistol**
ピストル

⑪ バング
**Bang!**
バン！

⑫ アン ユァ マーク
**On your mark.**
ゲット セット ゴゥ
**Get set. Go!**
位置(いち)について。用意(ようい)。ドン！

⑬ ホウィスル
**whistle**
笛(ふえ)

⑭ スポーツ デイ
**sports day** 運動会(うんどうかい)

⑮ フットレイス
**footrace**
徒競走(ときょうそう)

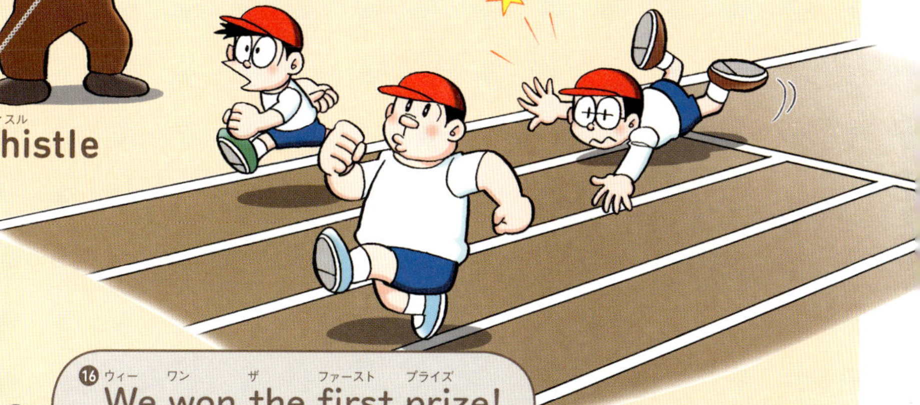

⑯ ウィー ワン ザ ファースト プライズ
**We won the first prize!**
ぼくたち1番(ばん)だ！

⑰ ビーンバッグ トース
**beanbag toss**
玉入(たまい)れ

| | |
|---|---|
| ⑱ タッグ アヴ ウォー **tug-of-war** | つな引(ひ)き |
| ⑲ リーレィ **relay** | リレー |
| ⑳ アブスタクル レイス **obstacle race** | 障害物競走(しょうがいぶつきょうそう) |

㉑ フレィ
**Hooray!**
フレー、フレー！

# Winter 冬



## ① Christmas クリスマス

② reindeer (レインディァ)
トナカイ

③ Santa Claus (サンタ クローズ)
サンタクロース

④ Christmas tree (クリスマス トゥリー)
クリスマスツリー

⑤ Christmas party (クリスマス パーティ)
クリスマスパーティー

⑥ wreath (リース)
リース

⑦ Cheers! (チァーズ)
かんぱい！

⑧ turkey (ターキィ)
ターキー（七面鳥）

⑨ Let's make a snowman! (レッツ メイク ア スノゥマン)
雪だるまを作ろう！

## ⑩ New Year's Eve 大(おお)みそ日(か)
ヌー イァズ イーヴ

⑪ イァ エンド クリーニング
**year-end cleaning**
大(おお)そうじ

⑫ モチ メイキング フェスタヴァル
**Mochi Making Festival**
もちつき大会(たいかい)

⑬ ヌー イァズ イーヴ
**New Year's Eve**
ヌードゥルズ
**noodles**
年(とし)こしそば

## ⑭ New Year's Day 元日(がんじつ)
ヌー イァズ デイ

⑮ ヌー イァズ スープ
**New Year's soup**
ウィズ ライス ケイクス
**with rice cakes**
雑煮(ぞうに)

⑯ ヌー イァズ
**New Year's**
ディッシィズ
**dishes**
おせち

⑰ ハピィ ヌー イァ
**Happy New Year!**
あけましておめでとう！

⑱ ヴァランタインズ デイ
**Valentine's Day**
バレンタインデー

⑲ ビーン スロウィング
**Bean-Throwing**
セラモウニィ
**Ceremony**
節分(せつぶん)

⑳ マィ ベスト メマリィ イズ ザ
**My best memory is the**
モチ メイキング フェスタヴァル
**Mochi Making Festival.**
ぼくのいちばんの思(おも)い出(で)は、もちつき大会(たいかい)だよ。

# Actions ❶ 動きの言葉

CD 2-39

❶ スロウ
**throw**
投げる

❷ キャッチ
**catch**
とる

❸ スウィム
**swim**
泳ぐ

❹ ライト
**write**
書く

❺ ドゥロー
**draw**
描く（クレヨンや色えんぴつで）

❻ ペインティング イズ ファン
Painting is fun
絵を描くのは楽しいよ！

❼ ペイント
**paint**
描く
（筆を使って

❽ アイ スウィム エヴリィ サンデイ
I swim every Sunday.
毎週日曜日に泳いでいるよ。

❾ オウ ザッツ グレイト
Oh, that's great!
へえ、すごいね！

⑩ スキー
**ski**
スキーをする

⑪ スケイト
**skate**
スケートをする

⑫ ショゥ
**show**
見(み)せる

⑬ リード
**read**
読(よ)む

⑭ アー ユー オゥケィ
**Are you OK?**
だいじょうぶ？

⑮ ノゥ アィム フリーズィング
**No! I'm freezing!**
ううん。こごえそう！

⑯ アスク
**ask**
たずねる

⑰ アンサァ
**answer**
答(こた)える

⑱ スリープ
**sleep**
眠(ねむ)る

⑲ オウプン
**open**
開(あ)ける

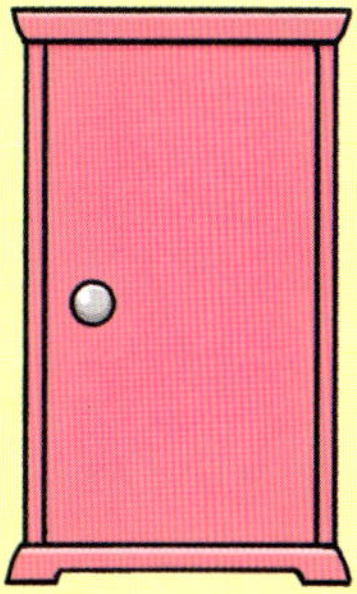

⑳ クロウズ
**close**
閉(し)める

# Actions ② 動きの言葉

CD 2-40

① スマイル
**smile**
ほほえむ

② ラフ
**laugh**
笑う

③ クライ
**cry**
泣く

⑤ ギヴ
**give**
あげる

④ ゲット
**get**
もらう

⑥ バイ
**buy**
買う

⑦ セル
**sell**
売る

⑧ (ホ)ウェア イズ マイ ホウムワーク
**Where is my homework?**
ぼくの宿題はどこ？

⑨ チェック ユア スクール バックパック
**Check your school backpack.**
ランドセルを調べてみて。

⑩ チェック
**check**
調べる、点検する

⑪ プラクティス
**practice**
練習する

12 マウント フジ イズ
**Mount Fuji is**
ザ ハイエスト マウンテン
**the highest mountain.**
富士山(ふじさん)は、いちばん高(たか)い山(やま)です。

14 ラーン
## learn
学(まな)ぶ

13 ティーチ
## teach
教(おし)える

15 スピーク
## speak
話(はな)す

16 スィー
## see
見(み)える（目(め)に入(はい)る）

17 ルック
## look
よく見(み)る

18 ワッチ
## watch
じっと見(み)る

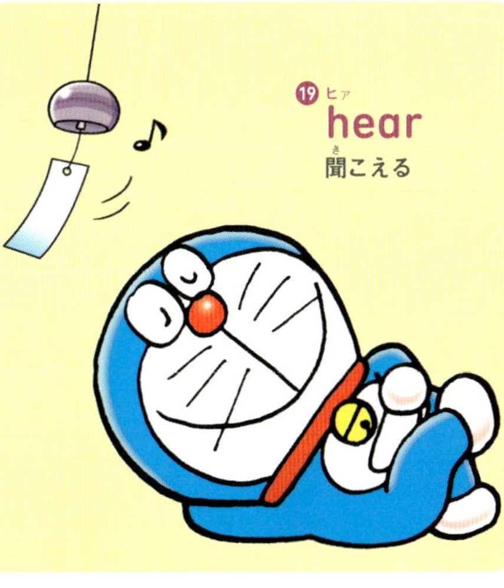

19 ヒア
## hear
聞(き)こえる

20 リスン
## listen
聞(き)く

# Feelings ❶ 気持ち・状態

フィーリングズ　き も　じょうたい

CD 2-41

❶ ハウ アー ユー フィーリング
**How are you feeling?**
今(いま)、どんな気持(きも)ち？

❷ アィム イクサイティド
**I'm excited!**
わくわくしているよ！

❸ アィム ハピィ
**I'm happy.**
幸(しあわ)せ。

❹ アィム サッド
**I'm sad.**
悲(かな)しいよ。

❺ アィム アングリィ
**I'm angry!**
怒(おこ)っているぞ！

❻ アィム サァプライズド
**I'm surprised!**
びっくり！

7 アイム　ハングリィ
**I'm hungry.**
おなかがすいているよ。

8 アイム　フル
**I'm full.**
おなかがいっぱい。

9 アイム　サティスファイド
**I'm satisfied.**
満足(まんぞく)しているよ。

10 アイム　ロウンリィ
**I'm lonely.**
さみしいわ。

11 アイム　サースティ
**I'm thirsty.**
のどがかわいているよ。

12 アイム　スリーピィ
**I'm sleepy.**
眠(ねむ)いな。

# Feelings ② 気持ち・状態（きもち・じょうたい）

フィーリングズ

① アィム ムーヴド
I'm moved.
感動（かんどう）しているよ。

② アィム シャックト
I'm shocked.
ショックだよ。

③ アィム グレイト
I'm great!
元気（げんき）だよ！

④ アィム ディサポインティド
I'm disappointed.
がっかりしているよ。

⑤ アィム アシェイムド
I'm ashamed.
はずかしい。

⑥ アィム スケァド
I'm scared.
こわいよ。

7 アイム ボード I'm bored. 退くつだな。
8 アイム ビズィ I'm busy. いそがしい。
9 アイム アフレイド I'm afraid. こわいよ。
10 アイム ナーヴァス I'm nervous. ドキドキしているわ。
11 アイム タイァド I'm tired. 疲れたな。
12 ミー トゥー Me, too. ぼくも。

# Opposites（アパズィッツ） 1 反対（はんたい）の言葉（ことば）

CD 2-43

1 ビッグ **big** 大（おお）きい ⟷ 2 スモール **small** 小（ちい）さい

3 トール **tall** 高（たか）い ⟷ 4 ショート **short** 低（ひく）い

5 ローング **long** 長（なが）い

6 ショート **short** 短（みじか）い

7 ラーヂ **large** 大（おお）きい ⟷ 8 スモール **small** 小（ちい）さい

9 ハイ **high** 高（たか）い ⟷ 10 ロウ **low** 低（ひく）い

⑪ ファスト
**fast**
速(はや)い

⟷

⑫ スロウ
**slow**
おそい

⑬ ハット
**hot**
熱(あつ)い

⟷

⑭ コウルド
**cold**
冷(つめ)たい

⑮ ハード
**hard**
かたい

⟷

⑯ ソーフト
**soft**
やわらかい

⑰ オウルド
**old**
古(ふる)い

⟷

⑱ ヌー
**new**
新(あたら)しい

⑲ ダーティ
**dirty**
よごれた

⟷

⑳ クリーン
**clean**
清潔(せいけつ)な

○
2 + 1 = 3

✓
2 + 1 = 1

㉑ ライト
**right**
正(ただ)しい

⟷

㉒ ローング
**wrong**
まちがった

# Opposites ❷ 反対の言葉

アパズィッツ

CD 2-44

❶ ヘヴィ **heavy** 重い ⟷ ❷ ライト **light** 軽い

❸ イーズィ **easy** 簡単な

⟷

❹ ディフィカルト **difficult** 難しい

❺ アーリィ **early** 早い

⟷

❻ レイト **late** おそい

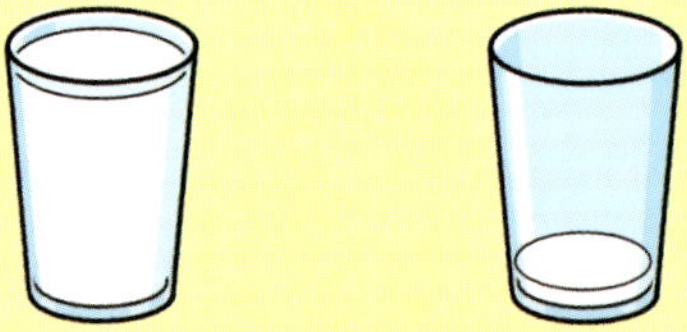

❼ ア ラット **a lot** （量が）たくさんの ⟷ ❽ ア リトゥル **a little** （量が）少しの

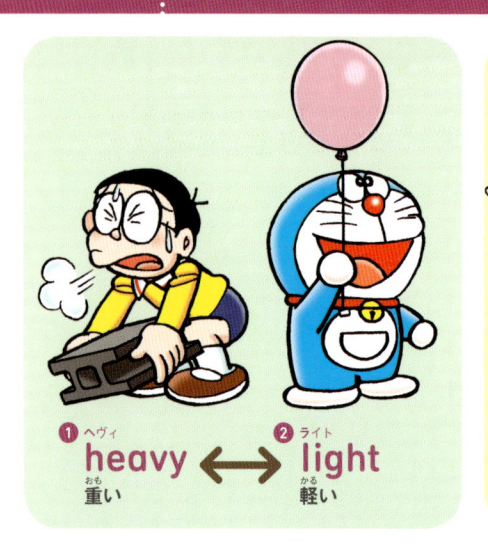

❾ メニィ **many** （数が）多い ⟷ ❿ ア フュー **a few** （数が）少しの

11 ウォーム
**warm**
暖かい（あたたかい）

↔

12 クール
**cool**
すずしい

13 ウィーク
**weak**
弱い（よわい）

↔

14 ストゥローング
**strong**
強い（つよい）

15 グッド
**good**
よい

↔

16 バッド
**bad**
悪い（わるい）

17 オウルド
**old**
年をとった（とし）

↔

18 ヤング
**young**
若い（わかい）

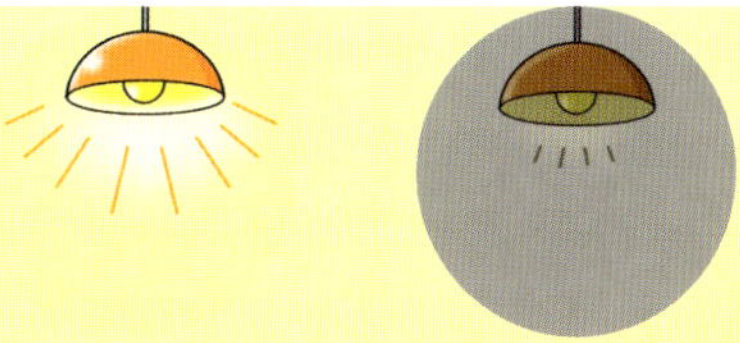

19 ブライト
**bright**
明るい（あかるい）

↔

20 ダーク
**dark**
暗い（くらい）

21 リッチ
**rich**
お金持ちの（かねも）

↔

22 プア
**poor**
貧しい（まずしい）

いろいろな表現

# Basic Phrases
ベイスィック フレイズィズ

基本のフレーズ

CD 2 -45

① ハウ アー ユー
How are you?
元気ですか？
② アィム ファイン
I'm fine.
元気です。
③ アィム グレイト
I'm great!
すごく調子がいいです！
④ ノット バッド
Not bad.
まあまあです。

⑤ ハヴ ア ナイス デイ
Have a nice day.
よい1日を。
⑥ ユー トゥー
You, too.
きみもね。

⑦ イクスキューズ ミー
Excuse me.
すみません。

⑧ サンキュー
Thank you!
ありがとう！
⑨ ユア ウェルカム
You're welcome.
どういたしまして。

⑩ アィム サリィ
I'm sorry.
ごめんなさい。
⑪ ザッツ オール ライト
That's all right.
いいよ。

⑫ レッツ プレィ タゲザァ
Let's play together!
いっしょに遊(あそ)ぼう！
⑬ レット ミー ヂョイン
Let me join.
入(い)れてよ。

⑭ アー ユー レディ
Are you ready?
準備(じゅんび)はいい？
⑮ イェス
Yes!
うん！
⑯ ノゥ
No,
ウェイト ア モウマント
wait a moment.
ううん、ちょっと待(ま)って。

⑰ (ホ)ワット ハパンド
What happened?
どうしたの？
⑱ アー ユー オウケィ
Are you OK?
だいじょうぶ？
⑲ スィー ユー
See you!
さようなら！
⑳ テイク ケア
Take care.
気(き)をつけて。

# いろいろな表現

# Useful Phrases
役に立つフレーズ

CD 2-46

## コミュニケーション

① レッツ ビィ フレンヅ
Let's be friends.
友だちになろうよ。

② アフ コース
Of course.
もちろん。

③ グッド ラック
Good luck.
がんばって。

④ ユー キャン ドゥ イット
You can do it.
きっとできるよ。

⑤ リスン トゥー ミー
Listen to me.
聞いて。

⑥ スタップ イット
Stop it.
やめて。

⑦ アィ ニード ユァ ヘルプ
I need your help.
手伝ってほしい。

## 相づち

⑧ グッド アイディーア
Good idea!
いい考えだね！

⑨ オゥ リーァリィ
Oh! Really?
本当に？

⑩ アィ スィンク ソゥ
I think so.
そう思うよ。

⑪ ノゥ キディング
No kidding!
じょうだんでしょ！

## リアクション

⑫ ワゥ
**Wow!**
わあ！

⑬ フレィ
**Hooray!**
やったー！

⑭ アウチ
**Ouch!**
痛(いた)い！

⑮ ウプス
**Oops!**
おっと！

## 習慣(しゅうかん)

⑯ オールウェイズ
**always**
いつも

⑰ アィ オールウェイズ プレィ ザ ピアノゥ
**I always play the piano**
ビフォァ ディナァ
**before dinner.**
わたしはいつも夕(ゆう)ご飯(はん)の前(まえ)にピアノを弾(ひ)きます。

⑱ ユージュアリィ
**usually**
ふつう

⑲ アィ ユージュアリィ ウォーク マィ ドーグ
**I usually walk my dog.**
ぼくはふつう犬(いぬ)の散歩(さんぽ)をします。

⑳ サムタイムズ
**sometimes**
時々(ときどき)

㉑ アィ サムタイムズ クリーン
**I sometimes clean**
マィ ルーム
**my room.**
ぼくは時々(ときどき)自分(じぶん)の部屋(へや)をそうじします。

㉒ アィ ネヴァ ゲット アップ
**I never get up**
ビフォァ スィックス
**before six.**
ぼくは、絶対(ぜったい)6時(じ)より前(まえ)に起(お)きることはありません。

㉓ ネヴァ
**never**
絶対(ぜったい)〜ない

# Positions and Directions
パズィションズ アンド ディレクションズ

位置と方向

CD 2 -47

① イン ザ クラスルーム
**in the classroom**
教室の中に

② アン ザ ルーフ
**on the roof**
屋根の上に

③ アット スクール
**at school**
学校に

④ アイム アット スクール
**I'm at school.**
ぼくは学校にいるよ。

⑤ ウィズ ア フレンド
**with a friend**
友だちといっしょに

⑥ ニァ ザ ブックシェルフ
**near the bookshelf**
本だなの近くに

⑦ バィ ザ ブックシェルフ
**by the bookshelf**
本だなのすぐそばに

⑧ ゴゥ アップ
**go up**
上のほうへ行く

⑨ ゴゥ ダウン
**go down**
下のほうへ行く

⑩ アイム ゴウイング トゥ
I'm going to
シズカチャンズ
Shizuka-chan's.
しずかちゃんちへ行(い)くよ。

⑪ トゥ シズカチャンズ
to Shizuka-chan's
しずかちゃんのうちへ

⑫ アンダァ ザ テイブル
under the table
テーブルの下(した)に

⑬ アラウンド ザ パンド
around the pond
池(いけ)の周(まわ)りを

⑭ アマング フィッシュ
among fish
魚(さかな)の間(あいだ)に

⑮ ビハインド ノビタ
behind Nobita
のび太(た)の後(うし)ろに

⑯ イン フラント アヴ ジャイアン
in front of Gian
ジャイアンの前(まえ)に

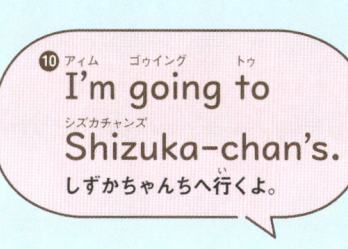

⑰ イントゥ
into
ザ ハウス
the house
家(いえ)の中(なか)へ

⑱ インサイド
inside
ザ ハウス
the house
家(いえ)の内側(うちがわ)に

⑲ アウトサイド
outside
ザ ハウス
the house
家(いえ)の外側(そとがわ)に

いろいろな表現

# Directions 道案内

CD 2-48

## 道をたずねる

1 イクスキューズ ミー Excuse me.
ハウ キャン アィ ゲット トゥ セントゥラル ステイション How can I get to Central Station?
すみません。中央駅にはどう行けばいいですか？
2 ターン ライト Turn right
アンド ゴゥ ストゥレイト and go straight.
右に曲がって、まっすぐ行って。
Cafe

## 道案内

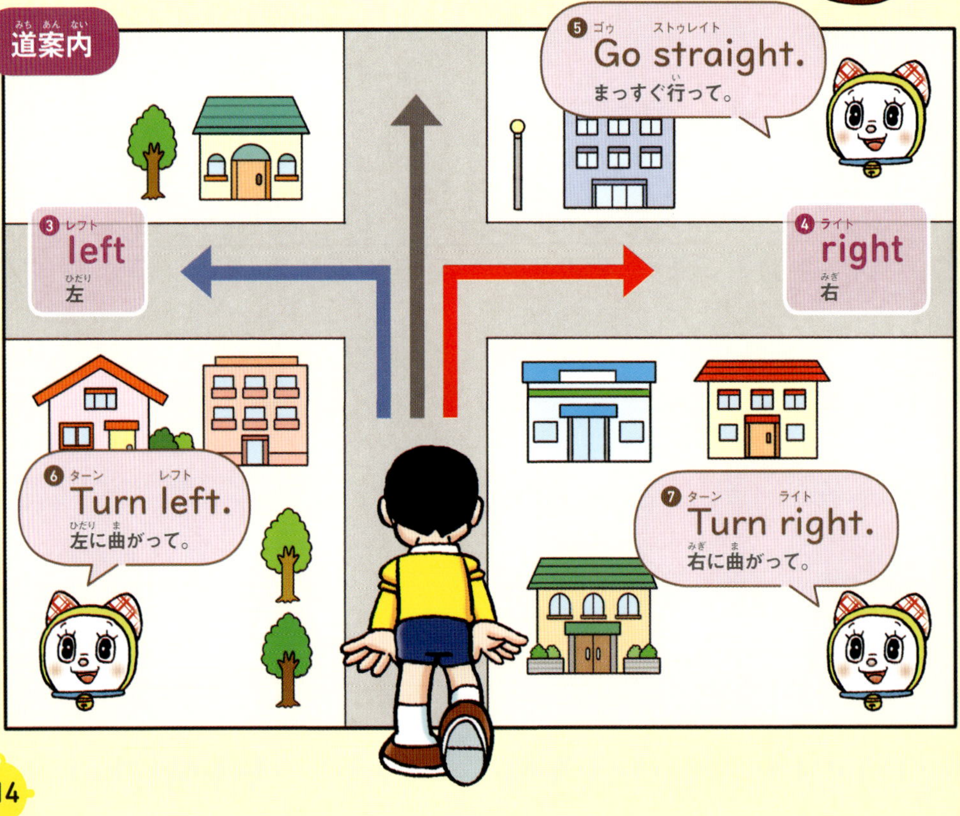

5 ゴゥ ストゥレイト Go straight.
まっすぐ行って。
3 レフト left 左
4 ライト right 右
6 ターン レフト Turn left.
左に曲がって。
7 ターン ライト Turn right.
右に曲がって。

⑧ west（ウェスト） 西（にし）

⑨ north（ノース） 北（きた）

⑩ east（イースト） 東（ひがし）

⑪ south（サウス） 南（みなみ）

⑫ I'm lost.（アイム ロスト）
道（みち）に迷（まよ）った。

⑬ Where is Green Park?（（ホ）ウェア イズ グリーン パーク）
緑公園（みどりこうえん）はどこですか？

⑭ Turn left at the first corner.（ターン レフト アット ザ ファースト コーナァ）
1つめの角（かど）を左（ひだり）へ曲（ま）がってください。

⑮ How can I get to the library?（ハウ キャン アィ ゲット トゥ ザ ライブレリィ）
図書館（としょかん）にはどう行（い）けばいいですか？

⑯ Go straight along this street.（ゴウ ストゥレイト アローング ズィズ ストゥリート）
It's next to the hospital.（イッツ ネクスト トゥ ザ ハスピトゥル）
この通（とお）り沿（ぞ）いに行（い）ってください。病院（びょういん）のとなりです。

⑰ corner（コーナァ） 角（かど）

⑱ street（ストゥリート） 通（とお）り

⑲ This way.（ズィズ ウェイ） こっちです。

⑳ That way.（ザット ウェイ） あっちです。

# Personality

パーサナラティ

性格

CD 2 -49

1 アクティヴ
**active**
活動的な

2 クワイアット
**quiet**
おとなしい

3 トーカティヴ
**talkative**
話好きな

4 パライト
**polite**
礼ぎ正しい

5 チァフル
**cheerful**
元気のよい

13 ノビタ イズ チァフル
**Nobita is cheerful.**
のび太は元気がいいです。

14 シズカ イズ チェントゥル
**Shizuka is gentle**
しずかちゃんは優しいです。

6 ブレイヴ
**brave**
勇気(ゆうき)がある

7 フレンドゥリィ
**friendly**
親(した)しみやすい

8 シャイ
**shy**
はずかしがる

9 サンキュー フォァ ユァ ヘルプ
**Thank you for your help.**
助(たす)けてくれてありがとう。

10 キュァリアス
**curious**
好奇心(こうきしん)の強(つよ)い

11 カインド
**kind**
親切(しんせつ)

12 ファニィ
**funny**
おもしろい

15 スネオ イズ トーカティヴ
**Suneo is talkative.**
スネ夫(お)は話好(はなしず)きです。

16 ジャイアン イズ ブレイヴ
**Gian is brave.**
ジャイアンは勇気(ゆうき)があります。

# Sounds(サウンズ) 音(おと)

CD 2 -50

せい大なはく手をありがとう。　おわってよかった。　ワー、よかった、よかった。

Thank you for your generous applause.
I'm so glad it's over.
パチパチ
Yeah. That was great, really great.
Clap Clap Clap

**1** クラップ クラップ
## clap, clap
パチパチ

キラキラ
twinkle twinkle

**2** トゥウィンクル トゥウィンクル
## twinkle, twinkle
キラキラ

bang
バタン

**3** バング
## bang
バタン

choo choo
ポッポー

**4** チュー チュー
## choo-choo
シュッシュッポッポ

An alien!
ジャーン
Tada

宇宙人!

**5** タダー
## Ta-da
ジャーン

あそびましょ。
Knock Knock
しずちゃ〜ん。
トントン
Let's play.
Shizu-chan.

6 ナック ナック
**knock, knock**
トントン

何度やってもあきないや。
No matter how many times I do it, it doesn't get boring.
ピンポーン
Ding Dong
Ding Dong

7 ディンッドーンッ
**ding-dong**
ピンポーン

Splash Splash

8 スプラッシュ スプラッシュ
**splash, splash**
バシャバシャ

chatter
ぺちゃくちゃ

9 チャタァ
**chatter**
ぺちゃくちゃ

スイッチオン。
Click
Turn ON.
カチ

10 クリック
**click**
カチ

11 ギグル
**giggle** くすくすと笑(わら)う

12 スニッフ
**sniff** くんくんとかぐ

13 クランチ
**crunch** パリパリとかむ

14 クラッシュ
**crash** ガチャンとこわれる

15 フーシュ
**whoosh** びゅーんと飛(と)ぶ

16 バンプ
**bump** どんとぶつかる

# Letters and Messages
レタァズ アンド メスィッヂィズ

手紙とメッセージ

CD 2-51

❶ アィ アム センディング ズィス レタァ トゥ マィ ペン パル
**I am sending this letter to my pen pal.**
文通友だちに手紙を送るの。

## ❷ Letter 手紙
レタァ

❸ letter paper（レタァ ペイパァ）便せん

❹ date（デイト）日付

October 12, 20XX

Dear Karen,

Thank you for your last letter. Sorry I did not write back sooner. How have you been? I am doing great.

Last weekend, my family and I went to Tokyo Disneyland. It was my first time there. It had a very good time. I rode on a lot of rides and saw many shows. I hope to go there again next year.

I hope everything is going well for you.

Take care,

Jun

Jun Tanaka
3-1 Hitotsubashi 2-chome
Chiyoda-ku, Tokyo
101-8001 JAPAN

Miss Karen Brown
2271 Bush Street
San Francisco, CA 94601
USA

AIR MAIL

❺ signature（スィグナチャァ）サイン

❻ stamp（スタンプ）切手

❼ address（アドゥレス）住所

❽ postal code（ポウストゥル コウド）郵便番号

❾ envelope（エンヴァロウプ）ふうとう

## ❿ Postcard はがき
ポウストカード

101-8001
東京都千代田区一ツ橋2-3-1
小学 太郎 様

群馬県前橋市後閑町1-2-3
伊藤 明子
371-0813

⓫ アィ ガット ア レタァ フラム ドラエモン
**I got a letter from Doraemon.**
ドラえもんから手紙をもらったんだ。

⑫ (ホ)ワット ダズ イット セイ
**What does it say?**
何て書いてあるの？（なん／か）

## ⑬ Cards カード
カーヅ

⑭ バースデイ カード
**birthday card**
バースデーカード

⑮ クリスマス カード
**Christmas card**
クリスマスカード

⑯ ヌー イァズ カード
**New Year's card**
年賀状（ねんがじょう）

⑰ インヴィテイション
**invitation**
招待状（しょうたいじょう）

⑱ グリーティング カード
**greeting card**
あいさつカード

⑲ サンキュー カード
**thank you card**
サンキューカード

⑳ カングラチュレイションズ カード
**congratulations card**
お祝いのカード（いわ）

# Computer ❶ コンピュータ

（カンピュータァ）



## ❶ Personal Computer パソコン

（パーサヌル カンピュータァ）

❷ **icon**（アイカン）
アイコン

❸ **screen**（スクリーン）
画面（がめん）

❹ **cursor**（カーサァ）
カーソル

❺ **power switch**（パウァ スウィッチ）
電源（でんげん）

❻ **keyboard**（キーボード）
キーボード

❼ **Click here.**（クリック ヒァ）
ここをクリック。

❽ **mous**（マウス）
マウス

❾ **laptop**（ラップタップ）
ノートパソコン

❿ **tablet computer**（タブリット カンピュータァ）
タブレット

⓫ **printer**（プリンタァ）
プリンター

## ⑫ Internet（インタァネット） インターネット

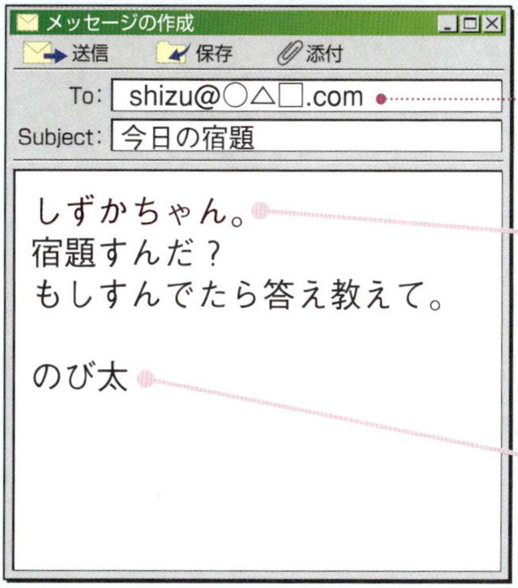


⑬ イーメイル
**e-mail**
電子（でんし）メール

⑭ イーメイル アドゥレス
**e-mail address**
メールアドレス

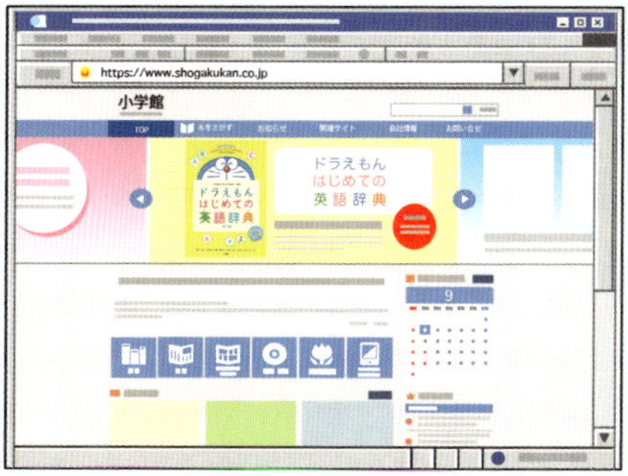


⑮ ウェブサイト
**Website**
ウェブサイト

⑳ アィ キャン ユーズ ア カンピュータァ
**I can use a computer.**
コンピュータ、使（つか）えるよ。

### インターネットでよく使（つか）われる記号（きごう）

| 記号 | 英語 | 日本語 |
|---|---|---|
| @ | ⑯ アット **at** | アットマーク |
| / | ⑰ スラッシュ **slash** | スラッシュ |
| . | ⑱ ダット **dot** | ドット |
| _ | ⑲ アンダァスコァ **underscore** | アンダーバー |

# Computer ②（カンピュータァ） コンピュータ

CD 2-53

## ❶ Keyboard（キーボード） キーボード

❷ key（キー）
キー

❸ backspace key（バックスペイス キー）
バックスペースキー

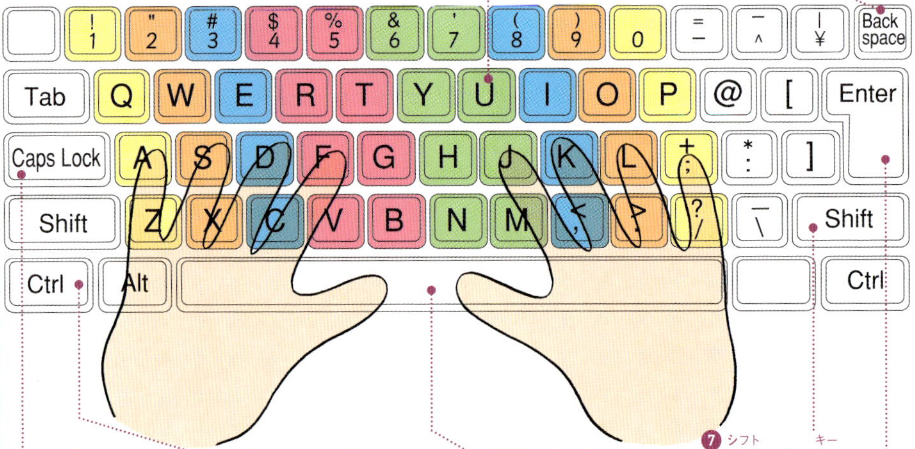

❹ caps lock key（キャップス ラック キー）
キャップスロックキー

❺ control key（カントゥロウル キー）
コントロールキー

❻ space bar（スペイス バー）
スペースバー

❼ shift key（シフト キー）
シフトキー

❽ enter key（エンタァ キー）
エンターキー

### パソコンに関（かん）する言葉（ことば）

| | |
|---|---|
| ❾ start（スタート） | 起動（きどう）する |
| ❿ shut down（シャット ダウン） | シャットダウンする |
| ⓫ log in（ローグ イン） | ログインする |
| ⓬ log out（ローグ アウト） | ログアウトする |
| ⓭ download（ダウンロウド） | ダウンロードする |
| ⓮ password（パスワード） | パスワード |

⓯ I am entering my password.（アィ アム エンタァリング マィ パスワード）
パスワードを入（い）れるよ。

## ローマ字入力表

パソコンに日本語を入力する時、ローマ字で入力する方法があります。
その入力方法を紹介します。

| | A | I | U | E | O | | | |
|---|---|---|---|---|---|---|---|---|
| — | あ A | い I | う U | え E | お O | — | — | — |
| K | か KA | き KI | く KU | け KE | こ KO | きゃ KYA | きゅ KYU | きょ KYO |
| S | さ SA | し SI [SHI] | す SU | せ SE | そ SO | しゃ SYA [SHA] | しゅ SYU [SHU] | しょ SYO [SHO] |
| T | た TA | ち TI [CHI] | つ TU [TSU] | て TE | と TO | ちゃ TYA [CHA] | ちゅ TYU [CHU] | ちょ TYO [CHO] |
| N | な NA | に NI | ぬ NU | ね NE | の NO | にゃ NYA | にゅ NYU | にょ NYO |
| H | は HA | ひ HI | ふ HU [FU] | へ HE | ほ HO | ひゃ HYA | ひゅ HYU | ひょ HYO |
| M | ま MA | み MI | む MU | め ME | も MO | みゃ MYA | みゅ MYU | みょ MYO |
| Y | や YA | — | ゆ YU | — | よ YO | — | — | — |
| R | ら RA | り RI | る RU | れ RE | ろ RO | りゃ RYA | りゅ RYU | りょ RYO |
| W | わ WA | — | — | — | を WO | — | — | ん NN |
| | ふぁ FA | ふぃ FI | ふ FU | ふぇ FE | ふぉ FO | — | — | — |
| G | が GA | ぎ GI | ぐ GU | げ GE | ご GO | ぎゃ GYA | ぎゅ GYU | ぎょ GYO |
| Z | ざ ZA | じ ZI [JI] | ず ZU | ぜ ZE | ぞ ZO | じゃ ZYA [JA] | じゅ ZYU [JU] | じょ ZYO [JO] |
| D | だ DA | ぢ DI | づ DU | で DE | ど DO | ぢゃ DYA | ぢゅ DYU | ぢょ DYO |
| B | ば BA | び BI | ぶ BU | べ BE | ぼ BO | びゃ BYA | びゅ BYU | びょ BYO |
| P | ぱ PA | ぴ PI | ぷ PU | ぺ PE | ぽ PO | ぴゃ PYA | ぴゅ PYU | ぴょ PYO |

**ポイント** 小さな「つ」は、その次の文字を2つ続けて表します。 きって KITTE らっこ RAKKO

# 英語さくいん

この本に出てきた主要な英単語をABC順で一覧にしました。知りたい言葉が載っているページを調べましょう。

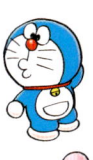

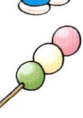

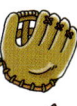

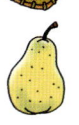

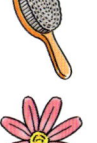

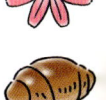

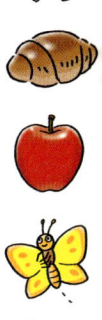

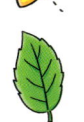

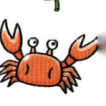

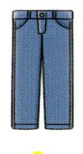

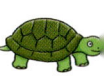

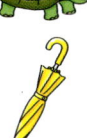

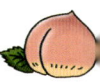

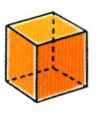

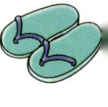

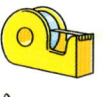

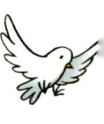

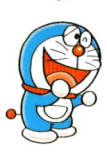

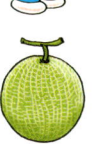

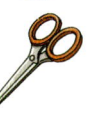

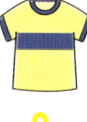

## I



## J

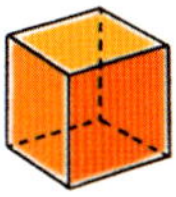
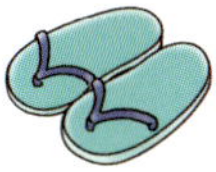

# 日本語さくいん

日本語の言葉をあいうえお順で一覧にしました。
知りたい言葉が載っているページを調べましょう。

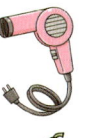

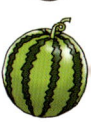

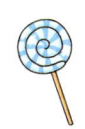

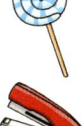

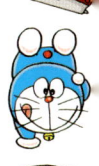

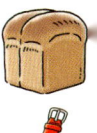

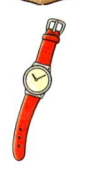

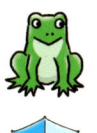

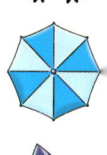

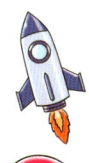

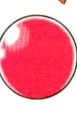

## か

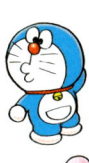

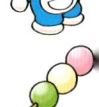

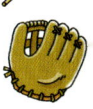

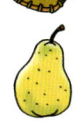

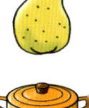

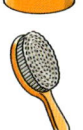

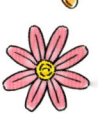

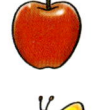

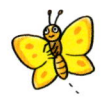

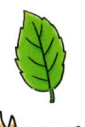

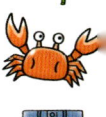

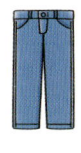

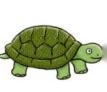

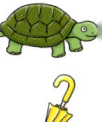

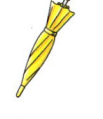

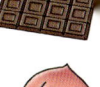

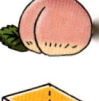

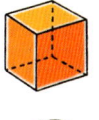

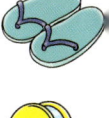

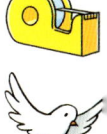

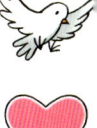

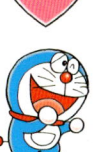

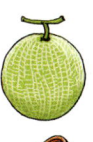

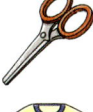

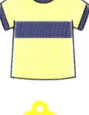

## ひ



## ふ

## へ



## ほ

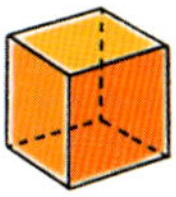

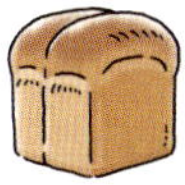

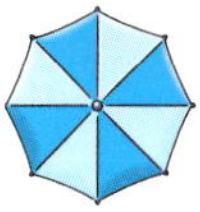
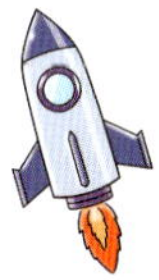
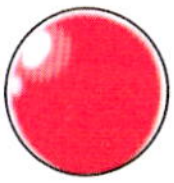

小学生のための楽しい絵辞典

# ドラえもん はじめての英語図鑑

2018年12月4日　初版第1刷発行
2019年12月10日　　　第4刷発行

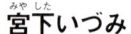

**宮下いづみ**

Eunice English Tutorial主宰。小学生から大学生を対象に、自分の意見を英語で述べることを目指した英語教育を実施。明治大学・実践女子大学・武蔵野大学の非常勤講師。『イギリスの小学校教科書で楽しく英語を学ぶ』(小学館、共著)、『ドラえもんはじめての英語辞典』(小学館、共著)など著書多数。日本経済新聞に『おもてなし会話術』連載。

監修　宮下いづみ

原作　藤子・F・不二雄
監修　藤子プロ
画　むぎわらしんたろう(『ドラえもん』キャラクターなど)
　　イトウソノコ・岡添健介(『ドラえもん』キャラクター以外)

発行者　金川 浩
発行所　株式会社 小学館
　　〒101-8001 東京都千代田区一ツ橋2-3-1
　　電話 03-3230-5170(編集) 03-5281-3555(販売)

印刷所　図書印刷株式会社
製本所　株式会社若林製本工場

アートディレクション　細山田光宣
ブックデザイン　成冨チトセ　松原りえ　奥山志乃　狩野聡子　鈴木あずさ　藤井保奈　川口 匠　南 彩乃　柏倉美地　茂木亜由美　小野安世　鈴木沙季(細山田デザイン事務所)　横村 葵

DTP　昭和ブライト
CD録音・編集　一般財団法人 英語教育協議会(ELEC)
CDナレーション　Hannah Grace・AIRI
編集協力　内山典子・羊菜乃
英文校閲　Aleda Krause
校正　迫上真夕子・長倉利夫
英文協力　リングァ・ギルド
生き物監修　富田京一(肉食爬虫類研究所)
写真　Shutterstock.com, iStock, PIXTA, photolibrary, 123RF

制作　直居裕子・斉藤陽子
販売　北森 碧
宣伝　野中千織
編集　瀬島明子


Printed in Japan
ISBN978-4-09-510845-2

小学館外国語編集部のウェブサイト
『小学館ランゲージワールド』
https://l-world.shogakukan.co.jp/